CW00686592

RÉFLEXIONS SUR LA QUESTION ANTISÉMITE

DU MÊME AUTEUR

EN TENUE D'ÈVE, *Féminin, pudeur et judaïsme*, Grasset, 2013.

COMMENT LES RABBINS FONT LES ENFANTS. *Sexe, transmission, identité dans le judaïsme*, Grasset, 2015.

DES MILLE ET UNE FAÇONS D'ÊTRE JUIF OU MUSULMAN (dialogue avec Rachid Benzine), Seuil, 2017.

DELPHINE HORVILLEUR

RÉFLEXIONS SUR LA QUESTION ANTISÉMITE

BERNARD GRASSET
PARIS

Photo de couverture : © Gettyimages

ISBN 978-2-246-81552-5

À la mémoire de Simone et Marceline,
«filles de Birkenau» qui nous ont appris à vivre.

À la mémoire de Sarah et Isidore,
mes grand-parents survivants et sous-vivants à la fois.

« Qu'ai-je de commun avec les Juifs ? C'est tout juste si j'ai quelque chose de commun avec moi-même. »

Franz KAFKA

« L'incertitude de la compréhension permet d'éviter le piège de l'idolâtrie. »

Jacques DERRIDA

« L'antisémite est un homme qui a peur. Non des Juifs certes : de lui-même, de sa conscience, de sa liberté, de ses instincts, de ses responsabilités, de la solitude, du changement, de la société et du monde ; de tout sauf des Juifs (...) c'est l'homme qui veut être roc impitoyable, torrent furieux, foudre dévastatrice : tout sauf un homme. »

Jean-Paul SARTRE

INTRODUCTION

« Les Juifs m'excèdent... »

Pourquoi n'aime-t-on pas les Juifs ? « Parce qu'ils ne sont pas gentils », disait Jacques Lacan. Ainsi s'énonce avec humour une vérité ancestrale sur cette haine : on reproche toujours aux Juifs de ne pas être comme les autres, membres de la « gentilis » latine, c'est-à-dire de la famille, du peuple ou du genre familier, et d'incarner ainsi une étrangeté insoluble et menaçante. « Ils ne sont pas comme nous », dit-on souvent d'eux, et leur différence obsède ou révulse. Pourtant, la haine du Juif n'est pas une simple xénophobie, ou une haine traditionnelle de la différence.

Il existe par exemple une distinction fondamentale entre l'antisémitisme et les autres racismes. Ces derniers expriment généralement une haine de l'autre pour ce qu'il n'a pas : la même couleur de peau, les mêmes coutumes, les mêmes repères culturels ou la même langue. Son « pas-comme-moi » apparaît au raciste comme un

« moins-que-moi » ; il a tôt fait de le juger inabouti ou inférieur. Il est un barbare au sens où les Grecs l'entendaient : un homme dont le langage semble bégayer, de façon primitive et ridicule, bar... bar... Changez sa couleur de peau, gommez son accent et la haine pourrait bien disparaître ou s'apaiser.

Le Juif au contraire est souvent haï, non pour ce qu'il N'A PAS mais pour ce qu'il A. On ne l'accuse pas d'avoir moins que soi mais au contraire de posséder ce qui devrait nous revenir et qu'il a sans doute usurpé. On lui reproche de détenir et d'accaparer le pouvoir, l'argent, les privilèges ou les honneurs qu'on nous refuse.

On l'imagine, dès lors, propriétaire d'un « en plus » dont il nous prive. Et ainsi, à travers l'Histoire, le voilà souvent décrit comme un agent perturbateur qui détourne, s'approprie ou empoisonne le bien commun au point d'en empêcher une (re)distribution égale ou un juste partage. Il a beau parler la même langue, ou habiter les mêmes quartiers qu'un non-Juif, c'est comme s'il le faisait toujours un peu « plus », avec davantage d'arrogance ou de facilité, aux yeux de ses ennemis. Aucun changement en lui, d'attitude ou de langage, n'apaiserait cette rancœur ou cette envie. En toute circonstance, « il excède », littéralement : quelque chose en lui est en trop, plus qu'il ne faut, ou « plus que je n'en ai ».

À commencer par son temps d'existence. Le Juif est increvable et c'est exaspérant. Il s'acharne à ne pas disparaître, et cette endurance est un culot intolérable. Ne pourrait-il mourir comme tout le monde ? Disparaître comme chaque civilisation « civilisée » a su le faire ? C'est irritant à la fin, cette persistance. Même sa douleur est increvable ! Lorsqu'il est frappé, voilà qu'en se relevant, il la rappelle au bourreau et l'oblige à lui en vouloir encore un peu plus d'avoir souffert davantage que lui-même. Même là, il a comme un « en plus » qui prive, y compris dans cet excès de visibilité ou de douleur, et qui fait se demander pourquoi on n'a pas eu l'honneur d'un tel passé lacrymal. Voilà pourquoi on a tant de mal à lui pardonner le mal qu'on lui a fait... Sa douleur aussi a de quoi « excéder ». Son passé de victime ou de discriminé, qui devrait opérer comme une soustraction, un « moins que moi », agit paradoxalement comme un « en plus » ou un avantage qu'on vient à lui jalouser.

Et s'y ajoute une autre particularité : la capacité d'être accusé simultanément d'une chose et de son contraire. Ainsi au cours de l'Histoire, rien n'a empêché le discours antisémite de porter contre lui quasi simultanément une accusation et son antithèse. On a pu tour à tour juger le Juif trop riche ou l'accuser de vivre sans ressources, aux crochets de la nation.

On l'a jugé trop révolutionnaire ou trop bourgeois. Il a été perçu comme menaçant le « système » ou au contraire comme l'incarnant. On lui a reproché de ne pas croire en Jésus ou d'avoir eu l'audace de l'inventer ; d'avancer masqué ou d'être un peu trop tape-à-l'œil ; de se mêler à la nation jusqu'à ne plus y être clairement identifiable, ou de défendre l'endogamie et de cultiver l'entre-soi. Bref, le Juif est toujours un peu trop le même et un peu trop un autre. Il a le culot de vouloir s'assimiler ici, ou de revendiquer une souveraineté ailleurs ; celui de ne pas vouloir partir ou de ne pas vouloir rester.

L'antisémite affirme le reconnaître à distance, immanquablement. Il le distinguerait entre mille, à ses gestes, à son nez, à sa chevelure, à sa voix ou à ses mouvements. Mais alors, pourquoi passe-t-il autant de temps à le traquer, comme si sa trace invisible se terrait là quelque part, tapie dans l'ombre et non identifiable ? Ainsi, jusqu'à ce que Google soit assigné en justice en 2012, il suffisait de taper le nom d'une personnalité sur le célèbre moteur de recherche pour que celui-ci vous propose immédiatement d'y associer le mot « juif ». François Hollande juif... George Clooney juif... Qu'en est-il du Père Noël ?

L'apparition magique du mot juif dans la ligne de recherche ne faisait que traduire l'efficacité d'un algorithme, celui qui détecte les recherches le plus fréquemment effectuées par les internautes. Et s'affichait ainsi la frénésie de ce type de requêtes : la traque obsessionnelle du Juif qui dort peut-être en chaque célébrité ou puissant de ce monde, et que la Toile révélerait enfin au brave internaute. Cherchez le Juif. Il est peut-être là, tout près, dans votre bureau, votre quartier ou votre bibliothèque. On nous cache tout, on nous dit rien.

CHAPITRE 1

L'antisémitisme est une rivalité familiale

Mal ancestral et odieux bégaiement de l'Histoire, la fureur antijuive semble constamment muter ou se réincarner d'époque en époque dans des contextes formidablement différents.

Historiens, sociologues, théologiens, psychologues : beaucoup ont analysé les racines de ce fléau, et tenté de comprendre les contextes politiques, économiques, sociaux ou religieux de son apparition ou de sa résurgence. Moins nombreux sont ceux qui ont exploré la littérature juive pour y lire comment celle-ci interprète le phénomène.

Ce n'est, certes, jamais à la victime d'une violence ou d'une discrimination qu'il revient d'expliquer les causes de la haine qui s'abat sur elle et d'analyser les motivations du bourreau. Faut-il rappeler cette évidence ? L'antisémitisme n'est pas « le problème des Juifs » mais toujours d'abord celui des antisémites, de ceux qui les tolèrent ou les nourrissent. Et d'ailleurs, pourquoi les interprètes des sources juives détiendraient-ils une clé particulière de compréhension de cette haine?

Ils n'ont pas besoin de posséder ce trousseau pour déverrouiller tout de même quelque chose. La lecture que le judaïsme fait de la haine antijuive offre un point de vue inédit: la parole subjective de celui qui se transmet cette expérience à la manière d'une mise en garde et d'un avertissement aux nouvelles générations, sur la résurgence du mal, et la possibilité de s'en relever. Dans l'interprétation des rabbins, ne se profile pas simplement une grille de lecture de ce qui leur arrive en un temps spécifique de leur histoire, ou le récit de leurs douleurs passées, mais la façon dont ils pensent, à la fois l'origine du phénomène et le dépassement de ses conséquences pour le groupe qui en est frappé. La littérature rabbinique entend offrir aux Juifs la possibilité de redevenir acteurs de leur histoire face à ce qui pourrait encore arriver. Elle offre aussi une lecture originale de la psyché de l'oppresseur, telle que perçue par le vulnérable du système, en quête de protection. Elle n'enferme ni la victime dans sa douleur, ni (et c'est plus surprenant!) le bourreau dans sa haine et c'est le refus de cette fatalité qu'il nous convient d'explorer pour notre temps.

Comment les sages et les textes de la tradition interprètent-ils la colère dont ils font l'objet, et qui s'empare de l'autre de façon chronique ? Existe-t-il une réflexion juive sur la question antisémite ?

C'est à ces questions que ce livre tente de répondre, sous la forme d'une enquête, d'une exploration littéraire dans les sources traditionnelles. Cette haine des Juifs, je l'appelle dans les pages à venir « antisémitisme » même s'il s'agit d'un anachronisme, la littérature rabbinique précédant de près de deux millénaires l'invention du terme dans l'Allemagne du XIXe siècle.

La non-identité juive

Où chercher la genèse d'une haine antisémite dans les textes de la tradition juive ? La Thora, que les chrétiens appellent Ancien Testament, ne parle pas de cette haine antijuive. Elle n'en dit rien pour la simple et bonne raison qu'elle ne parle pas des Juifs. Le peuple dont elle raconte l'histoire s'appelle à ce moment du récit « peuple hébreu » ou « enfants d'Israël ». Ces deux identités sont celles dont les Juifs, bien plus tard dans l'Histoire, se diront héritiers.

Explorons un instant les termes de cette proto-identité juive.

Le tout premier des Hébreux se nomme Abraham et voit le jour dans une ville nommée Our, terre chère aux Chaldéens (et bien plus tard, aux cruciverbistes). Il ne naît donc pas hébreu sur la terre de ses origines, mais va acquérir cette identité... en la quittant, à l'appel du divin qui lui enjoint de s'éloigner du pays de son père et du lieu de sa naissance[1]. Le voilà qui traverse un fleuve qui le mènera dans la direction d'une terre promise dont le nom lui échappe encore, Canaan.

Dans la langue qui porte ce nom, l'« Hébreu » (*Ivri*) est littéralement « celui qui traverse », le passant. C'est parce qu'il a quitté le monde de sa naissance et de ses origines qu'Abraham acquiert un nom qui dit son geste, le nom de la traversée.

L'identité hébraïque qui naît avec cet homme est donc une identité d'arrachement à la terre de naissance. Elle n'est pas un ancrage dans une origine ou un commencement. Un Égyptien vient d'Égypte et un Grec de Grèce mais un Hébreu ne vient pas d'une terre ainsi nommée. Son nom ne dit pas son origine mais sa coupure des origines. Voilà qui crée une ambiguïté subtile dans la définition identitaire hébraïque, qui deviendra juive :

L'Hébreu n'est pas celui qui arrive de quelque part mais celui qui se met en route hors du lieu de sa naissance. C'est le nom d'un décrochage

---

1. Genèse 12:1 « L'Éternel dit à Abraham : Va, éloigne-toi de ton pays, de ton lieu natal, et de la maison de ton père... ».

géographique ou spirituel. Ulysse vient d'Ithaque et aspire à y revenir. Mais Abraham vient d'Our et fera tout son possible pour ne jamais y retourner.

L'identité hébraïque affirme donc qu'elle a pour origine de l'avoir quittée, c'est-à-dire qu'elle construit son identité à partir d'une non-identité à là d'où elle vient. La Terre promise est le « désir d'un pays où nous ne naquîmes point[1] », une destination qui n'est jamais un retour à l'origine ou à l'identique.

Au commencement est donc la rupture. Cette idée est centrale dans l'impossible définition de ce qu'est le judaïsme. La formule que Jacques Derrida choisira pour dire son judaïsme l'illustre à merveille : c'est « l'autre nom de cette impossibilité d'être soi[2] ».

Bien après la sortie d'Abraham de Mésopotamie, le peuple hébreu va rejouer cet arrachement abrahamique à un moment clé de son

---

1. Voir E. Levinas, *Totalité et Infini* (1961) et dans « La Trace de l'Autre » (1963), Levinas opposera Ulysse et Abraham comme deux archétypes philosophiques, ceux de la pensée occidentale ou juive. Il écrit : « Au mythe d'Ulysse retournant à Ithaque, nous voudrions opposer l'histoire d'Abraham quittant à jamais sa patrie pour une terre encore inconnue et interdisant à son serviteur de ramener même son fils à ce point de départ. »

2. J. Derrida, *L'Écriture et la Différence* (1967).

histoire, mais cette fois collectivement, en quittant l'Égypte.

Si la Chaldée est la terre paternelle d'Abraham, le confluent du Nil est dans la Thora la véritable matrice du peuple. C'est le lieu où la semence de Jacob s'installe et pullule jusqu'à ce que s'ouvre la matrice égyptienne. Les plaies d'Égypte, comparées par les commentateurs à des douleurs d'enfantement, déclenchent le travail de délivrance. La mer s'ouvre alors ; le peuple quitte cette terre – « mère du monde » – Oum-el-Dounya (telle que l'arabe la nomme jusqu'à aujourd'hui), et reçoit pour injonction de ne plus jamais y revenir. Le voilà en chemin vers la Terre promise.

Le peuple naît donc en Égypte et, là encore, l'événement fondateur de son identité collective est un départ, un arrachement qui le fait exister, dans une non-identité au lieu qui l'a vu naître.

Un nom qui boite

L'autre appellation biblique de ce peuple, « peuple d'Israël », raconte une histoire étrangement similaire. Le nom « Israël » surgit dans le texte au détour d'un autre épisode de rupture identitaire. La Genèse raconte l'histoire du petit-fils d'Abraham, nommé Jacob, qui en chemin passe la nuit au bord d'une rivière qu'il doit traverser. Dans l'obscurité, l'homme va se battre avec un envoyé mystérieux, ange ou humain, qui le blesse à la hanche mais lui offre au petit matin une étrange bénédiction : « Ton nom ne sera plus dorénavant Jacob mais Israël[1]. »

Ce nom, gagné dans un combat et transmis aux descendants de Jacob, n'est donc pas un nom d'origine, mais une identité gagnée dans une lutte, et au prix d'une hanche déboîtée, c'est-à-dire de la promesse d'une claudication éternelle.

Jacob/Israël, arraché à son identité de naissance, sait qu'il ne tiendra plus jamais en équilibre sur ses deux jambes, ou « droit dans ses bottes ». C'est dans le balancement et le mouvement constant qu'il peut espérer se tenir à la verticale. Dorénavant, il sera un instant ici, puis un autre là, dans une oscillation entre deux états, avec ce balancement pour seul garant de son équilibre. Toujours en mouvement, le voilà condamné à devenir pour être et à ne pouvoir être qu'en devenir.

La Thora raconte donc l'histoire des Hébreux et des fils d'Israël, comme un cheminement hors de la géographie de la naissance, vers une Terre promise qu'ils n'atteignent à aucun moment du

---

1. Genèse 32:29.

récit, mais vers laquelle ils sont en route jusqu'à la dernière ligne du texte.

Mais, de Juifs, il n'est jamais question. En tout cas pas au sens où nous l'entendons aujourd'hui : une affiliation religieuse collective. La racine hébraïque du mot « juif » (Yehoudi, en hébreu), lorsqu'elle apparaît dans la Thora, définit d'abord une tribu, celle de Juda, ou un territoire spécifique (la Judée), mais jamais l'identité « religieuse » de tout un peuple.

C'est bien plus tard que le Juif fait son apparition dans le texte. Il surgit ailleurs, dans un autre livre, dans un autre temps et une autre contrée. Et pour faire sa connaissance, il faut pousser dans la Bible la porte d'un célèbre récit qui porte le nom d'une femme : Esther.

Chercher la Juive

L'histoire se passe dans le royaume d'un souverain nommé Assuérus, qui règne sur un large territoire de la Perse antique. Sous l'influence de ses conseillers, le roi répudie un jour sa femme Vashti et entreprend d'en trouver une autre, plus docile. S'organise alors le plus grand concours de beauté biblique, que remporte une jeune fille nommée Esther, dont le roi ne sait pas grand-chose. En hébreu, c'est précisément le sens de son nom : la « cachée », la « mystérieuse ». Le roi Assuérus ignore notamment qu'elle fait partie de la diaspora des enfants d'Israël, exilés là depuis la destruction du premier Temple. Il ne sait pas non plus qu'elle est la nièce (ou la femme, selon certaines légendes rabbiniques moins politiquement correctes) d'un certain Mardochée, un homme ainsi décrit dans la Bible :

« Mardochée, fils de Yaïr, fils de Shimi, fils de Kich, le Benjaminite[1]. »

La lignée de ce personnage fait de lui un descendant de la tribu hébraïque de Benjamin. Or Mardochée a beau appartenir à la tribu de Benjamin (et non à celle de Juda), il est toujours appelé dans le texte « Yehoudi ». Pour la toute première fois dans la littérature biblique, quelqu'un porte ce nom, non pas dans le sens d'une origine géographique ou d'un lien à une province ou une tribu, mais comme une appartenance d'un autre type. Le terme désigne soudain une identité collective, un peuple ou l'appartenance à un groupe. Mardochée est ainsi le premier Juif de l'Histoire et du texte.

Quelque part dans l'exil de Perse, naît l'identité juive, dans le sens où on l'entendrait aujourd'hui,

1. Esther 2:5.

comme celle d'une communauté religieuse ou d'un peuple dispersé. Le judaïsme est donc, dans la Bible, un produit d'exil, la condition de celui qui est arraché à sa terre d'origine.

Avec Esther, entre à la cour d'Assuérus une nouvelle reine dont le roi ne sait rien. Or à peine le Juif (sous les traits d'une femme) entre-t-il au palais qu'apparaît dans le récit un autre personnage, aussi essentiel à l'intrigue : son ennemi.

Le méchant du livre d'Esther se nomme Haman, descendant d'Agag, et il est promu conseiller spécial à la cour du roi Assuérus. Immédiatement, la haine y fait aussi son entrée. Pour une étrange raison, sur laquelle les commentateurs ne cessent de spéculer, Haman déteste Mardochée. S'agit-il d'une jalousie ou d'un règlement de compte ? Quoi qu'il en soit, Haman le hait au point de fomenter l'extermination de tout son peuple, et de plaider la cause de ce génocide auprès du souverain Assuérus pour qu'il lui en confie l'exécution.

Au début du livre, l'horrible Haman obtient une audience spéciale auprès de son roi et déclare :

« Il y a dans toutes les provinces de ton royaume un peuple dispersé et à part parmi les peuples, ayant des lois différentes de celles de tous les peuples et n'observant point les lois du roi. Et le roi n'a pas intérêt à les laisser là[1].» (Ou plus littéralement : pour le roi, il n'est pas égal qu'ils restent.)

En un verset, Haman offre au lecteur un parfait condensé, une illustration intemporelle de ce que sont les accusations portées contre les Juifs à travers l'Histoire : un peuple perçu comme à la fois dispersé et à part, mêlé à tous mais refusant de se mélanger, indiscernable mais non assimilable. Son particularisme est vécu comme une menace pour l'intégrité de la nation ou la puissance politique, mettant en danger la stricte égalité entre des éléments d'une nation indifférenciée. Pèse sur lui, dès lors, un soupçon de non-allégeance, qui justifie à terme son départ ou son élimination physique.

À l'instant même où le Juif paraît dans le texte, surgit avec lui comme dans un même souffle, son ennemi, fruit d'une gémellité littéraire troublante. Le duo Mardochée/Haman est comme scellé dès l'origine : cherchez le Juif, l'antisémite n'est jamais très loin.

Amalek : this is Haman's world

Mais d'où sort précisément cet ennemi des Juifs dans le livre d'Esther ? D'où surgit sa haine ? Pour

1. Esther 3:8.

les commentateurs, l'histoire n'a pas commencé là, mais trouve sa source ailleurs dans un autre récit ; et ils vont donc se livrer à une exploration, presque à une enquête policière sur la piste généalogique du Juif et de son ennemi légendaire. Remontons ensemble les générations bibliques de la haine antisémite :

Mardochée est descendant d'un certain Kich, c'est-à-dire du premier roi d'Israël, Saul[1].

Quant à Haman, il descend, nous dit-on[2], d'un homme nommé Agag, qui fut souverain du peuple des Amalécites et ennemi intime du roi Saul, au temps de son règne. Mardochée et Haman, dans leur confrontation, poursuivent donc un affrontement commencé par leurs ancêtres. À leur manière, ils rejouent la guerre qui opposa bien plus tôt Agag à Saul.

Mais l'exploration généalogique ne s'arrête pas là. Agag est lui-même à la tête du peuple des Amalécites et descend donc d'un personnage biblique nommé Amalek. Et là, les choses se compliquent.

Bien plus tôt dans le récit biblique, Amalek est déjà engagé dans une guerre contre les Hébreux. Le livre du Deutéronome le raconte ainsi, en s'adressant au peuple d'Israël :

---

1. Saul était le fils de Kich. Voir I Samuel 9:1.
2. Esther 3:1.

Souviens-toi de ce que t'a fait Amalek, lors de votre voyage, au sortir de l'Égypte ; comme il t'a surpris chemin faisant, et s'est jeté sur tous tes traînards par-derrière. (...) tu effaceras la mémoire d'Amalek de dessous le ciel : ne l'oublie point[1].

Juste après la sortie d'Égypte, Amalek avait attaqué les Hébreux dans le désert et s'en était pris aux plus vulnérables d'entre eux. Il avait tenté d'exterminer le peuple qui venait à peine de se libérer de l'esclavage et n'était pas préparé à ce combat.

La mémoire de cette attaque particulière va traverser les générations, et résonner sous la forme d'une mise en garde dans le texte : « Souviens-toi d'effacer la mémoire d'Amalek. » Étrange injonction : Comment se souvenir d'effacer un souvenir ? Peut-on se rappeler d'être amnésique ? Nous y reviendrons.

Toujours est-il qu'à partir de cet épisode, le nom d'Amalek va être associé à la haine anti-juive à travers l'Histoire. Amalek n'est autre que le nom de code que les commentateurs donnent aux ennemis les plus terribles du peuple juif, des Croisés aux Inquisiteurs, des assassins sanguinaires de l'Europe des pogroms jusqu'aux nazis... tous furent définis à un moment donné par les rabbins

1. Deutéronome 25:17-19.

de leur temps comme la réincarnation d'Amalek, les descendants de cette terrible figure biblique.

À chaque époque, ou presque, surgirait un descendant de ce personnage, un archétype d'assassin, rongé par la haine des Juifs et décidé à les exterminer. Cette lecture archétypale de l'antisémitisme raconte la fatalité de la menace à travers le temps, sous la forme d'un bégaiement de l'Histoire et d'une réincarnation de la haine.

Le nom de code « Amalek » est lâché, et il est directement lié à la généalogie d'Haman, comme s'il était réactivé dans cette histoire perse. Haman est l'héritier d'une haine ancestrale et le livre d'Esther rejoue un conflit et une violence qui trouvent racine ailleurs. La colère d'Haman renvoie à celle d'Agag. La haine d'Agag renvoie à celle d'Amalek. Mais à quoi renvoie donc la fureur d'Amalek ? Les rabbins vont devoir poursuivre l'enquête ailleurs.

L'antisémite, ce taré ?

Les commentateurs remontent un peu plus haut encore dans les générations et se demandent : Qui donne naissance à Amalek ? La réponse est fournie par la Genèse à travers l'énumération de la généalogie d'Esaü, frère jumeau de Jacob. Esaü donne naissance à un fils nommé Elifaz, qui va prendre pour concubine une certaine Timna, « qui lui enfanta Amalek[1] ».

Amalek est donc le petit-fils d'Esaü, et le fils d'Elifaz et de sa concubine Timna. Mais le lecteur biblique expérimenté aura décelé une originalité dans le texte : y sont précisés à la fois le nom de la mère, Timna, et son statut de concubine. Or, la plupart du temps, les femmes n'apparaissent pas dans les généalogies bibliques, à quelques exceptions près, réservées aux femmes légitimes. Les concubines restent généralement dans l'ombre du récit patriarcal. Timna, elle, brille par sa présence : elle apparaît non seulement dans la Genèse mais aussi au cœur d'un autre livre biblique, celui des Chroniques, qui récapitule les filiations importantes de la Genèse.

Mais là, ô surprise ! Le lien d'Amalek à Timna est raconté différemment. Dans l'énoncé des noms des descendants d'Elifaz, on lit : « Les enfants d'Elifaz : Têmân, Omar, Cefi, Gâtam, Kenaz, Timna et Amalek[2] »...

Timna, dans la Genèse, est donc la mère d'Amalek, tandis que dans le livre des Chroniques, elle est sa sœur. Pour la littérature rabbinique,

1. Genèse 36:12.
2. Chroniques I, 1:46.

cela ne fait aucun doute : Timna est à la fois l'une et l'autre. Elifaz a fait de sa fille sa concubine et Amalek n'est autre que le fruit de cette relation incestueuse[1].

Antisémythologie

À partir de cette filiation transgressive, la littérature rabbinique des premiers siècles de notre ère va conclure : « Cette lignée endommagée l'est jusqu'à aujourd'hui[2]. » Tout se passe comme si cet épisode incestueux, cette faute morale et sexuelle de la lignée d'Esaü dont Amalek est l'enfant, allait hanter cette famille, et altérer moralement toute sa descendance. Cette piste est bien entendu allégorique pour les rabbins : l'antisémitisme n'est pas selon eux une maladie génétique, au sens où nous l'entendons aujourd'hui. Mais ils invitent à explorer la piste de l'« héritage » dans la transmission de cette haine. Quelque chose de l'ordre d'une transgression originelle se transmettrait dans certaines

1. Le Midrash Tanhouma ajoute que Timna était née d'une relation adultérine entre Elifaz et l'épouse d'un prince de la région de Seir. L'adultère s'ajoute donc ici à l'inceste, et crée dans la lignée d'Amalek une double transgression à caractère sexuel.

2. Midrash Tanhouma.

familles, et nul ne s'en débarrasserait sans y faire face.

Le bégaiement haineux de l'Histoire, qu'incarne un Amalek capable de se réincarner à chaque génération, est ainsi analysé par les rabbins sous la métaphore d'une tare transgénérationnelle. La littérature rabbinique examine les origines de cette violence à travers le prisme de la violation du tabou suprême de l'inceste. Elle interroge : se peut-il que cette haine raconte la transmission inconsciente d'un traumatisme de filiation chez celui qui ne parvient pas à réparer sa lignée ? L'antisémitisme serait, dans cette représentation schématique et caricaturale, une histoire de « tarés », la trace d'une transgression sexuelle qui, telle une psychose, rejoue sa haine contre les Juifs.

Pourquoi les Juifs ? Peut-être parce qu'ils incarnent souvent, pour ceux qui les haïssent, le vecteur de la Loi, l'origine de l'interdit et la force de l'hétéronomie. En donnant la Loi au monde, ce peuple aurait fini par l'incarner et la rappeler à ceux que la transgression hante, dans les profondeurs de leur histoire familiale.

Si la violence d'Amalek a pour origine une lignée violentée, les Juifs comme porteurs symboliques de la Loi seraient ceux qui constamment rappellent cette faute. Ils incarnent ce qu'on a tenté d'oublier ou d'effacer.

À moins que…

La littérature rabbinique ouvre simultanément d'autres pistes troublantes, comme consciente qu'aucune d'elles ne pourrait tout dire. Elle demande : Et si quelque chose d'autre était arrivé à Timna ? Et si Amalek portait une autre histoire ? Un extrait du Talmud de Babylone[1] le suggère bel et bien, et interroge encore l'identité de cette mystérieuse concubine.

Timna – Le refoulement de l'origine

Qui était donc Timna, matrice biologique de la figure du mal ? Était-elle la sœur ou bien la mère d'Amalek ? Était-elle une femme abusée par son père et victime d'inceste, comme le suggère la légende ? Le Talmud de Babylone avance une autre hypothèse :

Timna, selon cet autre scénario, était une notable de la région de Seir, une jeune princesse locale. Un jour, se sentant proche d'Abraham, d'Isaac et de Jacob, figures tutélaires des Hébreux, elle se serait présentée devant eux dans le but de rejoindre cette famille spirituelle (c'est-à-dire de se convertir). Mais l'illustre tribunal rabbinique, composé des trois patriarches,

1. Talmud de Babylone, Sanhedrin 99b.

aurait alors refusé sa démarche, ne la jugeant pas assez désintéressée. Face à ce refus, Timna, dépitée, serait devenue la concubine d'Elifaz, le fils d'Esaü. Elle aurait alors enfanté Amalek, avec l'avenir qu'on lui connaît.

Les rabbins du Talmud font de l'histoire de Timna une interprétation à la fois osée et anachronique. Bien sûr, la conversion au judaïsme n'existait pas à l'époque biblique, pas plus que les tribunaux rabbiniques, tels qu'ils fonctionnent au moment de la rédaction du Talmud, plusieurs siècles plus tard. Mais les rabbins de l'Antiquité identifient la démarche de Timna à celle d'une candidate qu'ils auraient pu eux-mêmes refouler. La voilà rejetée par le glorieux tribunal rabbinique devant lequel elle se présente, le plus illustre qui puisse exister. Et à défaut de pouvoir rejoindre le peuple hébreu et les fils de Jacob, Timna finit par se rapprocher de la descendance d'Esaü, et donner naissance à Amalek, l'enfant du rejet, fils de la déception et de l'exclusion, et sans doute héritier de cette douleur. Et le Talmud de conclure amèrement au sujet de Timna : « Jamais les Patriarches n'auraient dû la rejeter[1]. »

---

1. Talmud de Babylone, Sanhedrin 99b : « La sœur de Lotan est Timna. Qui est Timna ? Une princesse qui vint pour se convertir. Elle se présenta devant Abraham, Isaac

Dans cet extrait du Talmud, les rabbins explorent une piste dérangeante et leur imagination donne à la haine des Juifs une origine nouvelle : le dépit et la déception de l'étranger qui n'a pas pu intégrer la famille, et n'a pas été accepté. C'est comme si Amalek était à leurs yeux chargé de la déception de sa mère, d'un rêve inabouti et d'une frustration, prête à muter en une haine sourde. Et les rabbins se demandent alors : Quelle est notre part de responsabilité ? Combien de souffrances auraient été épargnées si nous avions accepté Timna et laissé cette femme rejoindre la famille ? Aurions-nous pu empêcher la naissance d'Amalek ?

Cette piste de lecture est dérangeante parce qu'elle semble attribuer une partie de la responsabilité et de la faute aux Juifs eux-mêmes. Elle laisse entendre que les victimes paieraient à chaque génération pour l'intransigeance de leurs ancêtres et leur incapacité à ouvrir plus grandes les portes de la maison d'Israël. Voilà qui est difficilement audible : l'antisémitisme

---

et Jacob mais ils ne l'acceptèrent pas. Elle partit et devint la concubine d'Elifaz fils d'Esaü. Elle dit : il est préférable que je sois la servante de cette nation plutôt que la maîtresse d'une autre nation. Et sortit d'elle Amalek qui a nui à Israël. Qu'est-ce que cela signifie ? Jamais ils n'auraient dû la rejeter. »

serait-il le prix qu'acquittent les Juifs pour leur non-prosélytisme ?

À moins d'entendre autrement cette légende : À travers cette piste, les rabbins ouvrent une voie alternative. La haine de l'antisémite n'est plus simplement une histoire de « tare familiale » transgénérationnelle ou de lignée dépravée, comme le suggérait le Midrash Tanhouma. C'est une histoire de jalousie, d'envie et de refoulement, la volonté frustrée d'appartenir à une famille qui n'a pas vocation à s'élargir, ni à imposer au monde sa vérité. La haine du Juif serait ainsi une colère de l'outsider qui prend pour cible un peuple perçu comme le champion de l'appartenance. « Pourquoi m'empêche-t-on de vous rejoindre ? » murmure Timna. La parole refoulée et l'incapacité à se relever de ce rejet et de cette humiliation, voilà la recette parfaite pour accoucher de la haine.

Ainsi naît AMALEK, dont le nom en hébreu signifie littéralement « celui qui est privé de peuple ». Il est le fils de TIMNA, une femme dont le nom dit en hébreu « la rejetée, l'empêchée ». Comme c'est souvent le cas pour les personnages bibliques, les noms murmurent les destins.

Et si l'antisémitisme, à travers l'Histoire, relevait d'un défaut d'appartenance, du besoin d'être accepté, aimé ou reconnu par un autre ? Le haineux aspirerait à se débarrasser du sentiment d'exclusion et demanderait : Pourquoi le Juif peut-il ainsi se tenir « à part » alors que je ne peux pas appartenir ?

Avec un certain courage, les rabbins vont jusqu'à interroger leur propre responsabilité, et se livrent à un exercice poussé d'autocritique en interrogeant ce que leur particularisme non-prosélyte déclenche : « Jamais nous n'aurions dû rejeter Timna », disent-ils.

Dans quelle mesure la notion d'« élection » (si mal comprise) et le refus du prosélytisme ont-ils nourri la haine ? Comment interrompre cette transmission intergénérationnelle de la fureur ?

D'Haman à Amalek, d'Amalek à Timna… les indices s'accumulent et l'enquête progresse.

Tout se passe comme si, pour les rabbins, à travers ses différents visages, la figure antisémite se disait toujours héritière de souffrances passées ou, plus exactement, comme si l'antisémite ne parvenait pas à s'extraire d'un passé qui le hante, d'une douleur héritée pour laquelle quelqu'un devrait payer. Si le Juif est à ses yeux le rappel de ce qu'il aurait pu ou dû être, la haine se transmet alors comme une difficulté à se relever de l'épreuve, à se percevoir autrement que comme l'enfant d'un ratage, l'héritier de victimes, c'est-à-dire comme une victime soi-même.

À l'heure où la compétition victimaire fait rage, où tant d'individus ou de « communautés » font des douleurs du passé un support identitaire, il convient d'être particulièrement attentif au syndrome d'Amalek, qui menace les individus, les familles ou les nations. Amalek s'éveille chaque fois que hurle la rancœur du passé ; et qu'elle convainc que la mémoire donne plus de droits que de devoirs.

Ce cri est précisément celui contre lequel la Bible met en garde, en cette injonction paradoxale déjà évoquée : « Souviens-toi de ce que t'a fait Amalek (...) Tu effaceras la mémoire d'Amalek de dessous le ciel : ne l'oublie point[1]. »

Existe-t-il un moyen de se souvenir tout en effaçant sa mémoire ? La résilience de tout homme dépend peut-être de ce subtil commandement : Souviens-toi de ce qui t'est arrivé, assure-toi de garder la mémoire du passé mais ne laisse pas ce passé hurler par la voix d'Amalek en toi. Ne laisse pas la haine, qui t'a frappé ou qui s'est emparée de toi, tout dire de celui que tu seras. Il ne s'agit jamais de faire taire la voix de nos héritages et des souffrances passées mais de

1. Deutéronome 25:17-19.

ne pas les laisser monologuer en nous, comme si elles disaient tout de ce que nous pourrions être.

Esaü : un type « au poil »

En remontant le temps et la piste d'un long voyage biblique, depuis la Perse d'Haman jusqu'au combat d'Amalek dans le désert, l'enquête des rabbins nous emmène plus loin encore.

Dans la famille « haine des Juifs », je demande le grand-père. Son nom est Esaü, et bien entendu, il n'est pas étranger à l'histoire et à l'obsession de sa descendance.

Le destin complexe d'Esaü commence dans les profondeurs de la matrice maternelle, où un combat se joue *in utero*. Dans le corps d'une femme nommée Rebecca, se bousculent deux fœtus. « Les fils se battaient en elle [1] », dit la Genèse. Voici la première grossesse biblique qui tourne mal. Et la femme enceinte se tourne vers Dieu pour l'interroger : « Si c'est ainsi, pourquoi suis-je [2] ? » Ainsi s'énonce la crise existentielle d'une femme, déchirée par l'affrontement qui se noue en elle.

---

1. Genèse 25:22.
2. *Ibid.*

Jacob et Esaü sont des frères jumeaux mais ils sont ennemis bien avant la naissance. Selon la littérature rabbinique, tout les oppose dès la conception : la légende leur invente des combats insensés, des guerres de territoires et de théologie qu'ils se seraient livrés à l'intérieur même de l'utérus de leur mère. On raconte ainsi que chaque fois que Rebecca passait devant une synagogue, Jacob gigotait dans son ventre, pressé de s'y rendre. Mais que chaque fois qu'elle passait devant un temple idolâtre, Esaü s'agitait avec autant d'ardeur[1].

La description est aussi anachronique que surréaliste (aux temps bibliques, les synagogues n'existaient pas plus que les échographies !) mais elle illustre, pour les rabbins, dans le référentiel de leur époque, la confrontation entre les deux mondes que ces frères incarnent. Judaïsme et idolâtrie partagent ainsi un même sac amniotique[2].

À partir de cet épisode biblique, Esaü, ce frère jumeau, va devenir une figure de la haine antijuive, un principe hostile qui accompagne la

1. Genèse Rabba 63:3.

2. Midrash Sifrei, Beaaloth'a 9. La haine originelle d'Esaü pour son frère est énoncée dans la littérature rabbinique comme une loi, c'est-à-dire comme une vérité immuable et impondérable : « Célèbre halakha : Esaü hait Jacob. »

naissance même du peuple d'Israël, comme si les Juifs et leurs ennemis ne pouvaient voir le jour que simultanément. Pourquoi la haine et son sujet habiteraient-ils la même matrice ? Pourquoi faire de l'antisémitisme une affaire de famille ?

Jacob et Esaü partagent un même patrimoine génétique, un héritage, une histoire et des origines. Et c'est précisément autour du conflit d'héritage qu'ils vont s'affronter tout au long de leur vie. La Bible raconte en détail les combats qu'ils mènent, l'un pour conserver, l'autre pour dérober le droit d'aînesse, celui qui ouvre droit à la bénédiction principale, comme s'il n'y avait pas de place dans ce monde et dans cette famille pour deux bénédictions d'égale valeur.

C'est Jacob qui l'emporte : il échange un célèbre plat de lentilles contre le privilège de son frère, puis il usurpe la bénédiction de son père en se faisant passer pour Esaü. Dans la confrontation des frères, la ruse l'emporte encore et encore sur la force physique.

Cette force physique ressortit au domaine d'Esaü. Il est décrit comme chasseur et vigoureux et, détail surprenant, comme venant au monde « couvert de poils » (ce qui le rattache plus tard à un territoire biblique nommé « Seir » – littéralement la terre du poilu – dont est issue Timna). Esaü naît avec une importante pilosité, et c'est comme s'il était déjà viril, pubère dès la naissance, mature avant l'adolescence.

Jacob, au contraire, est décrit comme imberbe. C'est un « fils à maman », le préféré de sa mère, l'enfant qui traîne dans ses jupes et cuisine sous sa tente.

Le conflit entre les frères est d'emblée présenté comme une compétition entre deux archétypes, à la manière d'un conflit de civilisations, doublé d'une guerre des genres. Il y a d'un côté la virilité d'Esaü et, de l'autre, les attributs plus féminins de Jacob. La guerre des sexes est (presque) déclarée. Elle resurgira en bien des occasions dans la rhétorique antisémite : le Juif y est souvent décrit comme une « femmelette », un être à la virilité défaillante ou à l'hystérie toute féminine. Nous y reviendrons.

Le monde d'Esaü est un univers déjà abouti, comme déjà « fait » (c'est d'ailleurs la signification en hébreu de son nom, « déjà fait »). Sa puberté de naissance en est l'illustration.

Il est tout ce que n'est pas le monde de Jacob, enfantin et imberbe. Jacob, en hébreu, se nomme YAAKOV, une forme verbale conjuguée au futur, qui signifie « il talonnera » (Jacob est venu au monde en tenant le talon de son frère). Autrement dit, le nom de Jacob est « il suivra ». Il n'est pas encore là, il n'est pas encore fait. Il s'appelle « à suivre... »

La suite de l'histoire le racontera : un jour, Jacob gagnera un autre nom, celui d'Israël. Mais pour l'instant, il est celui qui « n'est pas encore », il incarne une potentialité d'être, un inabouti, c'est-à-dire un « peut-être ». Le combat entre ces deux frères est finalement une guerre entre le fini et l'infini qu'ils se livrent depuis les origines. Esaü voudrait vaincre Jacob : le monde de la finitude aimerait bien venir à bout du peut-être. À travers eux, deux civilisations s'affrontent, totalité et infini.

Rapport d'enquête

Interrompons un instant l'enquête généalogique sur la trace des haines originelles, et examinons-en temporairement les indices collectés. L'antisémite surgit dans la Bible dès que le Juif apparaît ; il semble sorti d'une même matrice ou d'un même verset. Et immédiatement, il reproche à l'autre de se séparer de lui, de se différencier.

Il n'a pas tort : l'identité juive est toujours affaire de séparation.

D'abord, le Juif a le culot de se séparer de ses origines, de toujours se dire non-identique à sa naissance. Il ne cesse de raconter, sous tous ses noms, que sa définition est une mise en chemin vers un ailleurs et une non-équivalence à soi. Cette identité semble faire continuellement un pas de côté, au lieu d'aspirer à faire comme tout le monde, à faire « un » avec le groupe ou avec son origine.

Haman ne dit pas autre chose dans sa haine des Juifs. Il demande : « Pourquoi seraient-ils à part ? » Tant qu'ils sont là, dit-il au roi, « il n'y aura pas d'égalité pour nous autres ». Autrement dit : tant qu'ils sont à part, « nous, on n'aura pas notre part ». Car tant qu'ils se soustraient au commun, ils nous confisquent notre possibilité d'être pleinement nous-mêmes, de faire Un avec la nation ou notre identité.

L'ancêtre d'Haman, Amalek, avait déjà hérité des mêmes paroles, et d'une douleur venue des origines, des profondeurs d'une matrice qui l'avait vu naître. Fils d'une enfant « abusée » ou d'une femme « rejetée », selon les légendes, il est en tout cas l'héritier d'une souffrance qui se mue en haine. Pour lui, les Hébreux sont ce peuple qui l'empêche d'être ce qu'il aurait pu être, là où il aurait dû être. Alors, le voilà nommé « sans peuple », mais obsédé par cette amputation qui le pousse à vouloir détruire quiconque incarne à ses yeux l'appartenance.

Son propre grand-père, Esaü, avait déjà vécu cela, convaincu qu'on lui avait pris sa part, que son frère avait capté un héritage qui lui revenait de droit. Son monde est assoiffé de finitude et de complétude tandis que son frère incarne l'infinie possibilité de devenir, le monde du « peut-être ». Comment accepter que son frère jumeau, Jacob, tout en ayant la même origine, emporte celle-ci vers un ailleurs ?

L'enquête des rabbins, aussi loin qu'elle remonte, renvoie toujours à la même situation : la haine des Juifs, à travers le texte, relève toujours d'un rapport douloureux à l'origine, d'un héritage et d'une rancœur ancestrale. Elle est toujours l'expression d'une jalousie familiale, d'une compétition entre frères ou cousins dont le haineux ne parvient pas à se relever, d'une envie qui lui fait souhaiter que l'autre ne soit plus en vie.

C'est une haine qui constamment demande : pourquoi mon frère a-t-il reçu ce qu'on me refuse ? Pourquoi possède-t-il un droit d'aînesse qui ferait de moi un second ou un défavorisé ? Que cette inégalité soit ou non un fantasme, que le Juif ait croisé sa route ou pas, il vient incarner ce manque-à-être.

En se convainquant que l'autre n'a pas fini d'être ou reste en devenir, l'antisémite finit par croire que le Juif est, pour toujours, « plus » que lui. Comment supporter qu'il soit à la fois celui qui le précède et celui qui l'excède ? C'en est trop…

CHAPITRE 2

L'antisémitisme est un combat de civilisation

Un Juif passa un jour devant l'Empereur Hadrien. Le Juif le salua. L'Empereur lui demanda :

« Qui es-tu ? » et l'homme répondit :

« Un Juif. »

« Comment oses-tu m'adresser la parole ? » hurla l'Empereur, et il ordonna que l'homme soit pendu. Un deuxième Juif passa par là et ne le salua pas.

« Qui es-tu ? » demanda l'Empereur.

« Un Juif », répondit l'homme.

« Comment oses-tu ne pas me saluer ? » hurla l'Empereur et il ordonna qu'il soit pendu.

Le conseiller de l'Empereur lui demanda : « Quelle est ta logique ? »

Il répondit : « Tu veux m'expliquer comment me débarrasser de mes ennemis[1] ? »

---

1. Midrash Eikh'a Raba 3:41 (VIe siècle).

La littérature rabbinique relève, très tôt, l'absurdité apparente du motif antisémite et son irrationalité. Elle le décrit souvent avec l'humour noir de la résignation.

Si la haine des Juifs échappe à toute logique, il est peut-être vain et immoral de lui chercher des modalités explicatives, ou d'analyser le raisonnement de ses agents. Inutile, à moins d'interroger ce que le haineux exècre exactement à travers le Juif, et de quoi sa détestation est le nom. De quel ennemi doit-il à tout prix se débarrasser ?

Expérience empirique

L'Empire, comme figure centrale de la haine antijuive : le motif est extrêmement présent dans la littérature rabbinique des premiers siècles. Rien de surprenant à cela. Au moment où le Talmud est édité, les Juifs vivent sous domination romaine. Ils sont à la merci de ce pouvoir et de son organisation. Dès lors, le pouvoir romain devient la figure du dominant, de la puissance qui vous contrôle, qui peut décider de votre prospérité ou de votre anéantissement.

Cette réalité est particulièrement à l'œuvre après la destruction du Temple de Jérusalem, en l'an 70. Privé de toute souveraineté géographique, sans lieu de culte centralisé et dans le deuil d'un judaïsme sacerdotal, le judaïsme rabbinique va devenir le modèle organisationnel de référence dans le monde juif. Il va lentement s'imposer à tout un peuple de façon quasi hégémonique. Ce modèle fera du Livre l'équivalent d'un nouveau centre du culte, et de l'exégèse le nouveau lieu de la rencontre avec le divin.

Dès la destruction du Temple, des modèles de collaborations ou de confrontations plus ou moins violentes avec le pouvoir romain sont explorés dans des récits. Certains sont clairement fictionnels et d'autres se nourrissent d'événements réels. Parmi les plus célèbres récits, on trouve, par exemple, celui de la lutte de Massada. Un groupe de rebelles juifs, réfugiés dans une forteresse en haut d'une montagne de Judée, résiste aux légions romaines. Après plusieurs mois de siège, en l'an 73, les rebelles choisissent le suicide collectif plutôt que la reddition de Massada à l'Empire. Leur récit incarnera dès lors la résistance juive jusqu'au-boutiste, le choix du sacrifice plutôt que d'un quelconque compromis avec l'ennemi.

Mais les rabbins des premiers siècles, ceux qui sont en train d'écrire le judaïsme dont nous sommes les héritiers, vont se distancier fortement de cette narration et de son idéologie. Les modèles qu'ils encensent ne sont pas ceux d'une forteresse jusqu'au-boutiste ; ils sont au contraire portés par d'autres héros de la littérature talmudique, tels que le légendaire Yoh'anan ben Zakaï. Dans la Jérusalem assiégée des années 70, ce leader spirituel comprend que le Temple va tomber et il fuit la ville en simulant la mort. Ben Zakaï quitte le siège, et sort des murailles de la cité de David dans un cercueil, porté par ses élèves.

Le mort, qui ne l'est pas vraiment, se présente devant le commandant des légions romaines, un certain Vespasien, et parvient à lui soutirer une faveur. « Donne-moi la ville de Yavné et ses sages [1] », supplie-t-il, et c'est ainsi qu'il y fonde une maison d'études et un tribunal rabbinique. Ces deux établissements deviendront le fleuron de la pensée juive en reconstruction. « Pourquoi Yavné ? demande Elie Wiesel. Pas pour remplacer Jérusalem : Jérusalem resterait irremplaçable à jamais. Mais pour pouvoir rêver de Jérusalem, en dehors de Jérusalem. Vivre la Loi autrement qu'avant. Apprendre ou réapprendre à vivre dans l'attente [2]. »

L'histoire est bien sûr légendaire, mais cette construction littéraire finit par symboliser un judaïsme qui renaît de ses cendres sans chercher à remplacer ce qui a été détruit, et qui crée ainsi

1. Talmud Gittin 56 a-b.
2. Elie Wiesel, *Célébration talmudique*, Seuil, 1991, p. 56.

les conditions nouvelles de l'attente religieuse, le cœur de la pensée juive rabbinique, en (re)construction.

La destruction du Temple et le cercueil de Rabbi Yoh'anan ben Zakaï semblent à première vue raconter la mort et la fin du judaïsme. Ils cachent en réalité le virage qu'il prend à ce moment de l'histoire juive : la mutation d'un système religieux centré sur le sacrifice et un ancrage géographique du culte, à un rapport au texte vécu comme celui d'une « nation portative [1] » et une direction centrée sur l'érudition et l'adaptation patiente. Ce choix du compromis politique et cette révolution théologique ont pour les sages un coût évident : la reconnaissance d'une dépendance à l'égard du pouvoir, sous la protection duquel il n'est d'autre choix que de se placer. Les rabbins de Yavné sont parfaitement conscients que leur projet religieux dépend du bon vouloir de l'Empire. Ce lien avec Rome et ses représentants devient dès lors un sujet très central de la littérature rabbinique [2]. Il hantera la pensée juive à travers les

---

1. L'expression est de Daniel Boyarin.

2. Voir la thèse de Danny Trom, dans *Persévérance du fait juif*, EHESS-Gallimard-Seuil, 2018, qui suggère qu'Israël est une tentative d'externaliser cette souveraineté en faisant de l'État des Juifs un gardien à distance, qui se substitue aux nations et empires qui n'ont su assurer la

siècles : la survie juive dépend toujours des liens avec le pouvoir en place.

Les mains d'Esaü et les actions de Rome

Très peu de temps après la destruction du Temple, apparaît dans la littérature rabbinique une expression récurrente qui finit par œuvrer comme un nom de code. Dès le début du IIe siècle, les Romains sont renommés « enfants d'Esaü » et cette identité devient dans le Talmud l'autre nom de l'Empire[1].

En faisant de leurs oppresseurs la réincarnation d'Esaü, les rabbins semblent rejouer la légende de Romulus et Rémus dans la Judée du Ier siècle, sous les traits d'une confrontation judéo-romaine de nature fratricide. Pourquoi choisir, pour incarner l'adversaire, un personnage biblique qui n'est autre qu'un frère jumeau ?

Peut-être pour voir dans le texte l'annonce d'une libération future : l'Esaü biblique reçoit de

---

protection des Juifs. Israël serait ainsi le nouveau gardien des Juifs.

1. Voir les travaux de Mireille Hadas-Lebel et notamment dans la *Revue de l'histoire des religions*, 1984, p. 369-392, « Jacob et Esaü ou Israël et Rome dans le Talmud et le Midrash ».

son père la promesse d'un puissant royaume mais le texte le voue aussi à une chute certaine. Faire de la puissance de Rome la réalisation d'une prophétie biblique, c'est se convaincre de son effondrement futur, tel qu'il est promis par les versets.

À moins que cette analogie littéraire ne soit de plus vaste envergure : en faisant du peuple juif l'ennemi de l'Empire romain dès la matrice, on affirme que leur opposition est essentielle et non conjoncturelle. Décrire les civilisations juive et romaine sous les traits de frères ennemis, c'est affirmer leur antagonisme éternel et inscrire cette confrontation sous les traits de deux types d'humanité que tout oppose déjà, *in utero*. La haine d'Esaü pour Jacob ressortirait donc à une guerre de civilisation : non pas opposition territoriale ou politique, mais rancœur à l'égard d'un monde antagoniste. Rome ferait ainsi du Juif l'unique objet (ou presque) de son ressentiment. Et cette haine participerait au fondement même de la civilisation romaine. C'est en tout cas ce qu'un célèbre extrait du Talmud invite à explorer.

Le rabbin et l'empereur

Le Talmud, dans le traité Avoda Zara, raconte l'histoire d'une amitié surprenante entre un empereur et un rabbin. Il était une fois un dirigeant romain qui rêvait d'être l'ami d'un sage… Le récit débute comme un conte aussi sympathique qu'improbable. Historiquement, bien sûr, il n'est pas réaliste : imagine-t-on un dirigeant de l'Empire développer une telle intimité avec un petit enseignant juif ?

De nombreux textes témoignent sans ambiguïté de la haine et du mépris à l'égard des Juifs dans le discours romain traditionnel. En plusieurs occasions, l'armée romaine et ses légions écrasèrent fermement les rebellions des minorités religieuses installées dans leurs provinces, et les Juifs ne firent pas exception à la règle. La plus célèbre des révoltes juives, celle dite de « Bar Kokh'va » au IIe siècle, fit l'objet d'une répression sanglante.

Pourtant, plusieurs écrits du Talmud mettent aussi en scène des relations amicales ou enjouées, des discussions ou des débats bienveillants entre des dirigeants romains et juifs. Et certains épisodes présentent un empereur ou un général, curieux de percer le secret de la sagesse d'Israël, de ses rites ou de sa longévité.

Un monde romain qui courtise un monde juif : voilà qui révèle surtout le fantasme d'un groupe assiégé, la puissance de son imaginaire qui tente de faire contrepoids à son impuissance politique, en s'inventant une autre relation au pouvoir en place. « Imaginons un monde où Rome nous consulterait », semblent murmurer ces récits.

Ainsi une fiction narrative naît-elle, dont la valeur n'est pas simplement celle du réconfort qu'elle procure à ses auteurs ou ses lecteurs. S'y révèle parfois également un véritable traité de philosophie politique, et une immersion subtile dans la psychologie supposée de l'adversaire.

La loi orale du judaïsme, éditée entre le IIe et le VIe siècle de notre ère, est comparée par de nombreux sages à un océan. Elle se traverse en immersion, dans la conscience que ce qu'elle cache est abyssal et ne peut être exploré qu'humblement. Entrons-y pas à pas, jusqu'à perdre pied.

L'Empereur qui m'aimait… enquête talmudique

Nous voici sur les rives d'un célèbre épisode du Talmud. La scène est tirée d'un traité nommé Avoda Zara, qui signifie « idolâtrie », où il est question de la rencontre avec le monde idolâtre, incarné pour les rabbins par Rome et ses empereurs. Le héros du texte se nomme Rabbi Juda le Prince. Il n'est autre que l'éditeur principal de la toute première édition de la loi orale (la Mishna) au IIe siècle de notre ère. Cet homme est un tel géant de connaissances qu'il est convenu de l'appeler dans le texte tout simplement « le Maître ». Et chaque fois que l'on fait référence à « Rabbi » sans préciser le nom d'un sage, c'est lui dont il est question.

Dans cet extrait, sont décrits les liens qui unissaient Rabbi à l'Empereur en place à Rome à son époque, un leader nommé Antonin, qui fut peut-être Antonin le Pieux, père de Marc-Aurèle Severus. Le texte débute ainsi :

Chaque jour, Antonin se mettait au service de Rabbi. Il lui servait à manger et à boire, et quand Rabbi voulait monter sur son lit, Antonin se couchait au pied du lit et lui disait : « Grimpe donc sur moi pour escalader. » Rabbi lui disait : « Mais enfin, ce n'est pas une façon de se comporter que de mépriser ainsi la royauté ! » Et Antonin répondait : « Puissé-je être un matelas sous toi dans le monde à venir[1] ! »

ACTE 1 : Dans la chambre du Rabbi

Les premières lignes de cet extrait talmudique ressemblent à une plaisanterie grotesque. Elles jouent et se jouent de tout ce dont on accuse si souvent les Juifs : vouloir dominer le monde, pervertir, ou mettre les puissants à genoux, pour

1. Avoda Zara 10b.

en faire des carpettes. Ici, la situation décrite ressemble à un fantasme rabbinique plein d'humour, et à un aveu d'impuissance. La fiction sert, comme c'est souvent le cas, à réconforter celui qui se sait incapable de la vivre, et qui, dès lors, fantasme une inversion parfaite des rôles dans son monde. Ce passage semble demander : si le grand empereur de Rome, chef politique de l'Empire, se mettait au service d'un des nôtres, si nous avions ce pouvoir de dominer les puissants, qu'en ferions-nous ?

Le dévouement d'Antonin est décrit avec de nombreux détails et aucun d'eux n'est innocent : il sert à manger et à boire au maître, joue les marchepieds au bas de son lit, et rêve de se faire piétiner dans le monde à venir, c'est-à-dire pour l'éternité.

Or ces images, pour le lecteur avisé du Talmud, sont extrêmement suggestives. Elles évoquent un service de type particulier : une soumission presque sexuelle. On lit par exemple dans un autre traité du Talmud que ces tâches domestiques précises (verser à boire et faire le lit) sont celles qu'une femme fait pour son époux, dans la conscience qu'elle risque ainsi d'éveiller en lui un désir irrépressible. On trouve aussi dans les sources talmudiques des descriptions de l'acte amoureux où une femme est décrite comme semblable à un « matelas » pour son époux[1] et la promesse qu'elle pourrait être pour lui un « marchepied » dans le monde futur. Ces métaphores, nourries de l'univers patriarcal enveloppant la rédaction de ces traités, permettent à Daniel Boyarin[2] d'en conclure que le service d'Antonin au Rabbi convoque tous les registres littéraires de la tension érotique. La relation entre les deux hommes est soudain racontée comme un lien de type conjugal, où le désir joue un rôle clé.

L'Empereur, dévoué à ces tâches domestiques, est en quelque sorte devenu la femme du sage. Il est une épouse dévouée et très soumise. Dans le monde patriarcal des Juifs et des Romains, cette allégorie n'est pas anodine : elle dit le renversement du dominant en dominé, et renforce le caractère improbable et fantasmé de toute cette narration. Si dans un monde littéraire, la virilité appartient aux rabbins, c'est que dans la réalité, elle est incontestablement du côté de l'Empire et de son chef, « mâle alpha » de la culture dominante. Nous y reviendrons.

---

1. Voir Talmud de Babylone traité Ketoubot 61a ou 96a, et traité Erouvin 100b ou Yevamot 62b.

2. Voir article de Daniel Boyarin, « Homotopia : the Feminized Jewish Man and the Lives of Women in Late Antiquity », *Differences: A Journal of Feminist Cultural Studies*, 7.2 (Summer 1995), p. 41.

C'est alors que la conversation entre les deux hommes prend un tournant plus surprenant encore, du domestique au théologique. Le texte se poursuit ainsi :

« Ai-je ma place dans le monde futur ? » demanda alors l'Empereur.

« Oui », répondit Rabbi.

« Mais n'est-il pas écrit dans la Bible (Ovadia 1:13) : Il n'y aura aucun survivant de la maison d'Esaü ? » demanda Antonin.

« Certes, mais cela concerne seulement celui qui agit comme Esaü ! (...) C'est-à-dire ni Antonin fils d'Assevrus, ni Ketya Bar Shalom. »

ACTE 2 : Dans la maison d'études du Rabbi

Soudain, c'est comme si les protagonistes venaient de quitter la chambre à coucher du rabbin, et le rapport de conjugalité, pour passer dans une autre pièce de la maison : la cour de la maison d'études, c'est-à-dire le monde de l'exégèse traditionnelle. La discussion entre l'Empereur et le sage semble les emmener sur un terrain digne des plus grands débats d'écoles rabbiniques.

Et là encore, le dialogue est improbable : pourquoi un dirigeant romain s'inquiéterait-il de savoir s'il a sa place dans le monde à venir, c'est-à-dire après le jugement dernier, face à un Créateur auquel il ne croit pas ? Le grand Empereur se demande : existe-t-il pour moi (et pour mon monde idolâtre) un salut et une rédemption ou bien suis-je à tout jamais dans l'erreur ou dans un égarement sans retour ?

Le rabbin tente de le rassurer mais en vain, car l'Empereur de cette histoire fantasmée connaît les sources mieux que le sage. Il va donc chercher dans une phrase de la Bible (le livre du prophète Ovadia) la preuve textuelle de son impossible rachat, de son irrécupérable condamnation. « Il est écrit, dit-il en interprétant un prophète biblique, que la maison d'Esaü ne survivrait pas. » Ainsi un idolâtre cite-t-il parfaitement les versets du texte juif, et convoque-t-il les prophètes en utilisant le vocabulaire et les référents culturels de l'autre, comme si de rien n'était. Tel est le renversement des normes et des dominations que la littérature permet d'explorer.

En ce début de texte, les hommes virils ne le sont plus, et les érudits du texte ne sont pas ceux que l'on croit. Rien de tout cela ne fait sens. Si ce n'est la question que les rabbins posent, en faisant semblant de la faire poser par un autre. Et cette question religieuse et morale peut être ainsi énoncée : Notre ennemi est-il irrécupérable et définitivement mauvais ou existe-t-il pour lui un chemin de salut ? Est-il condamné de naissance et par essence, ou peut-il se racheter ? La haine des Juifs peut-elle le quitter ou définit-elle pour l'éternité le monde et la culture dont il vient ? Ou, pour l'énoncer sur le mode d'une filiation biblique : le monde d'Esaü est-il capable d'agir autrement que comme son ancêtre ?

Réponse du Rabbi : il n'y a pas de fatalité ! La condamnation ne touche pas les descendants d'Esaü mais ceux « qui agissent comme lui ». La haine des Juifs serait donc non pas essentiellement romaine, mais existentiellement présente à Rome. Le sage suggère là que la haine antijuive, portée par l'idolâtre de son temps, ne connaît pas de fatalité à condition qu'il lui soit donné de ne pas « agir comme Esaü ».

Mais quel est donc cet « agissement d'Esaü » dont il s'agirait de se préserver ? Que peut signifier de s'en distancier ? C'est ce que la suite du récit talmudique va tenter d'éclaircir, grâce à un détour par un autre épisode du Talmud, subtilement tissé au premier, pour lui offrir une clarté nouvelle. Ainsi se poursuit l'échange :

Rabbi dit à l'Empereur : « Ceux qui agissent comme Esaü, ce ne sont pas tous les Romains. Il existe des exceptions : comme toi, Antonin, ou encore comme Ketya Bar Shalom. »

Mais qui est celui-là ?

Soudain, le Talmud fait surgir un autre récit, et un autre héros. Il convoque un homme inconnu, nommé Ketya Bar Shalom, ayant apparemment vécu dans une génération précédente, que l'histoire offre comme une clé de compréhension du débat entre Rabbi et l'Empereur. *Qui est donc Ketya Bar Shalom ?* demande la suite de l'épisode talmudique, comme si, à la façon des *Mille et Une Nuits*, un détour par un autre récit s'imposait.

Ketya Bar Shalom, dit le Talmud, était un proche conseiller de l'Empereur et cet Empereur haïssait les Juifs. Ce dirigeant dit un jour aux importants du royaume : « Supposez que quelqu'un ait une ulcération à la jambe. Doit-il couper ce membre et vivre ou bien le laisser là et souffrir ? »

Tous lui répondirent : « Il doit la couper et vivre ! »

ACTE 3 : Dans l'armée de l'Empereur

Après l'Empereur qui aimait les Juifs, nous voici soudain face à celui qui les haïssait. L'identité de cet autre chef romain n'est pas révélée mais ce dirigeant-là est plus conforme qu'Antonin à l'image qu'ont de la puissance romaine les rabbins du Talmud, et à l'expérience qu'ils font de la domination de l'Empire. Celui-là ne s'offre pas en marchepied à une populace judéenne qu'il courtise, mais la domine au contraire impitoyablement.

Un jour, cet empereur s'adresse à ses troupes et ses conseillers en leur demandant, sous les traits d'une allégorie : que faire face à une peau lésée dont la déchirure et l'ulcération menacent d'infection un organisme sain ?

La métaphore physiologique et chirurgicale est sans ambiguïté. Elle est celle que tous les antisémites de l'Histoire chériront ou véhiculeront encore après lui : l'image du Juif comme source de contamination pour l'organisme qui l'accueille, et dont il menace l'intégrité par sa présence. On l'accuse de rompre la continuité du corps social et de parasiter le terrain-hôte. Le Juif, comme l'ulcération, est responsable de la faille, c'est-à-dire de la faillite de la société qui l'accueille. « Sale Juif », lui dit-on alors, pour bien raconter combien sa présence pollue et vulnérabilise : c'est lui qui fait entrer les germes pathogènes.

Alors, très vite, le discours mute : le Juif, d'abord accusé de faciliter la contamination, devient la contamination elle-même. Il est l'agent infectieux, « la tuberculose raciale des peuples de la terre », disait Hitler, l'animal nuisible qui pourrit le terrain : la vermine, le pou, le morpion, la mite qui grignote un derme jusqu'à sa décomposition, rendant l'organisme incapable de se protéger du corps étranger qui le pénètre, et donc le désintègre[1].

Car c'est d'intégrité dont il est toujours question. *L'antisémite à travers les siècles est toujours un intégriste de l'intégrité.* Il croit que le Juif crée la porosité des membranes ou des mondes, qu'il menace les frontières territoriales ou celle d'une identité nationale ou familiale, en créant de l'hybride et du mélange. Le Juif est à ses yeux celui qui empêche la limite claire car il floute, fragilise ou viole. Il fait trou, ou ulcération[2].

« Que faire pour protéger l'intégrité de la nation et de l'Empire ? » demande l'Empereur haineux à ses conseillers, tout en frappant leur conscience. Faut-il se couper de l'agent ulcérant ou bien vivre douloureusement avec le trou ?

---

1. En octobre 2018, le leader suprématiste afro-américain Louis Farrakhan comparait les Juifs aux nuisibles qui rongent la nation et déclarait sur les réseaux sociaux : « Je ne suis pas antisémite, je suis anti-termite. »

2. Voir Jean-Luc Nancy, *Exclu le Juif en nous*, Galilée, 2018, p. 25 : « Le Juif n'est ni un autre groupe ni un membre d'un groupe. Il fait partie du groupe comme un organe pathogène peut faire partie d'un corps qu'il infecte ou menace au moins d'infecter. Le Juif occupe la position d'un agent auto-immune : il se tourne contre l'immunité du corps propre auquel il appartient. »

Faut-il obturer la plaie en se débarrassant de la faille, ou bien vivre péniblement avec la béance ?

À la question ainsi formulée, à travers la puissance d'une image sanguinolente, la réponse des conseillers ne se fait pas attendre : il faut vite se couper de l'ulcération pour vivre. Une seule solution : forcer l'amputation !

Coupons-nous de ceux qui incarnent la coupure, disent-ils en chœur, sans entendre la contradiction évidente que leur phrase énonce et l'interrogation qu'elle laisse en suspens : comment se coupe-t-on d'une coupure, comment s'ampute-t-on d'une béance ? Aucun d'eux ne l'entend, sauf un.

Un seul individu relève l'absurdité de la proposition. Il s'appelle Ketya Bar Shalom et il est maintenant prêt à faire son entrée dans le texte et dans l'Histoire.

Ketya Bar Shalom lui dit (à l'Empereur) :

« *Premièrement, tu ne pourras pas t'en débarrasser entièrement.* »

ACTE 4 : Dans la tête d'un homme

Pour un conseiller non juif, cet homme a tout de même un drôle de nom : un nom qui ne sonne « pas très catholique », ou en l'occurrence romain.

Est-il juif? Sans doute pas: un empereur qui hait les Juifs ne l'aurait pas nommé à une telle fonction. Pourquoi s'appelle-t-il alors ainsi dans le texte? Bar Shalom. Peut-être s'agit-il d'un pseudonyme: pas un nom qu'il se serait choisi, mais un nom que le texte lui choisit en hébreu, un patronyme qui le raconte et porte en lui la subtile contradiction qu'il apporte à l'Empereur.

Littéralement, *Ketya Bar Shalom* signifie en hébreu: *Ketya* – « la coupure », *Bar* – « fils de/qui vient de », *Shalom* « la paix/la complétude ».

Cet homme, nommé « Coupure qui vient de la complétude », sort des rangs de l'armée de Rome, et son nom dit déjà en substance ce qu'il s'apprête à faire: rompre avec son groupe d'appartenance. Dès qu'il ouvre la bouche, il n'est d'ailleurs question que de cela:

« Et de un [1] »... ainsi débute-t-il sa démonstration, « tu ne pourras complètement te couper des Juifs. » Tout d'abord, dit Ketya à l'Empereur, tu ne pourras pas retrouver l'intégrité, le Un dont tu rêves, en t'amputant, ni recouvrer la pureté que tu fantasmes en imaginant te débarrasser d'eux.

---

1. « H'ada », signifie en hébreu à la fois « et de un », mais aussi « aiguisé » comme une lame et donc capable de trancher d'un seul coup ce qu'elle touche, d'une seule coupe.

Ketya se coupe ici de ses collègues, en plaidant l'impossible coupure des Juifs.

Puis il cite un verset biblique à l'appui de sa démonstration :

Car il est écrit (Zacharie 2:10) : « Je vous ai dispersé comme les quatre vents du ciel, dit l'Éternel » (...) et comme le monde n'existe pas sans vent, il n'existe pas sans le peuple d'Israël. De plus, ils t'appelleront le royaume de la coupure.

Comme un peu plus tôt dans le texte, lorsqu'Antonin citait les sources prophétiques, on assiste là à un improbable plaidoyer : un conseiller de l'Empire tente de convaincre un dirigeant romain idolâtre, à coups de versets bibliques, en convoquant la parole d'un prophète juif. Depuis quand construit-on ainsi à Rome une argumentation ?

Ce plaidoyer prend une étrange direction : celle du vent. « Tu ne pourras pas te débarrasser du peuple d'Israël, dit Ketya à l'Empereur, car il est comme le vent. » Traduction : Nul ne le contient, ne l'attrape, ne le fige ou ne l'extirpe d'un lieu. Il est impalpable, invisible et identifiable uniquement au mouvement qu'il suscite. Et par ailleurs, le monde ne subsisterait pas sans lui.

Les propos de Ketya sont à mi-chemin entre la rhétorique antisémite classique (« ils sont partout, transparents et infiltrés, ils manipulent le monde »...) et la défense inconditionnelle du peuple juif, dont les livres diraient la vérité et sans lequel le monde s'effondrerait.

« De plus, ajoute-t-il, ils t'appelleront le royaume de la coupure. »

Et la clé de toute l'intervention de Ketya Bar Shalom pourrait bien tenir là, dans cette phrase. En quelques mots, il met le souverain face à ses contradictions : l'Empire peut-il se permettre d'apparaître comme coupé, ou de vivre avec la coupure ? La réponse est connue et repose sur un principe essentiel de l'administration territoriale romaine : l'unité de l'Empire. Tels sont les principes à l'œuvre dans la *Pax Romana* : l'Empire romain s'étend et impose sa loi et son droit sur un territoire qu'il unifie. Rome est le monde de la *Pax*, c'est-à-dire du *Shalom*, qui au sens littéral signifie « la complétude ». C'est l'Empire de la continuité et de la plénitude.

Et voilà que par haine des Juifs, un empereur propose de se couper pour retrouver l'unité légendaire. Crois-tu, demande Ketya, que tu puisses faire de ton territoire un royaume « coupé » (« ketya »), et imaginer protéger ainsi ton intégrité et ton identité ?

Derrière cette question, se profile celle de la confrontation essentielle entre Rome et les Juifs. Et par extension, pour les rabbins, s'énonce là le problème fondamental de la haine antijuive : ce que le Juif incarne est précisément l'impossible expansion uniforme.

C'est ce que Jean-Luc Nancy décrit ainsi : le Juif est perçu dans l'Histoire comme une figure d'obstacle à la croissance et à la maîtrise du monde, comme l'ennemi d'une « saine et belle alliance des nations », ou celui d'un programme d'expansion impérialiste.

« Le trait distinctif de l'antisémitisme par rapport à tout racisme, c'est qu'il trouve ou qu'il trace avec "le Juif" une figure qui intègre tous ces obstacles à la croissance de la maîtrise. En ce sens, l'hostilité antisémite est assez éloignée de l'hostilité raciste : elle relève moins d'un rapport entre groupes, que du rapport à elle-même, d'une puissance qui se veut supérieure à tous les groupes[1]. » L'antisémitisme serait donc la volonté d'un homme, d'un groupe ou d'un empire d'exterminer ce qui mine en son sein sa propre expansion. Le Juif n'est pas l'autre qui, à l'extérieur de soi, empêche une croissance infinie mais celui qui, à l'intérieur de soi, crée une ulcération, empêche le corps de s'étendre encore ou de se consolider.

---

1. Jean-Luc Nancy, *Exclu le Juif en nous*, *op. cit.*, p. 29-30.

Le peuple juif, perçu comme à part dans le corps collectif, empêche le royaume, la nation, ou la famille de faire « Un » ou de faire « totalité ». Comme si sa présence rappelait constamment l'impossible complétude.

Voilà pourquoi on le croit capable de rendre les frontières poreuses, d'introduire ou de créer la faille dans le corps social[1]. Il est celui qui empêche de faire le Shalom, et l'unité. Il rappelle la béance avec laquelle il faudrait vivre si douloureusement. En un mot, le Juif est coupé, et il rappelle tout ce qui dans notre monde l'est aussi. Alors pour se couper de sa coupure, on fait de lui le coupable.

Et pour cette culpabilité, il va devoir payer.

L'histoire de Ketya Bar Shalom et son intervention dans le texte sont résumées dans son nom : « Coupure qui vient de la complétude. »

Cet homme est né dans un monde qui idolâtre l'intégrité. Pourtant, il parvient à exposer l'Empereur à sa faille. Voilà ce qui fait de lui un coupable idéal.

C'est ainsi que le récit se poursuit :

---

1. C'est avec ce même argument en tête qu'un assassin, adepte de la suprématie blanche, ouvre le feu sur les fidèles de la synagogue de Pittsburgh le 27 octobre 2018. Il accuse les Juifs de faciliter l'arrivée massive de migrants aux portes du pays et de soutenir ainsi la décomposition de l'Amérique.

L'Empereur lui dit : « Tu as bien parlé. Mais quiconque humilie le souverain doit être jeté dans une fournaise ! »

ACTE 5 : *Le déchaînement de la violence*

Le puissant est humilié par la démonstration de son conseiller. Elle lui révèle à la fois la vulnérabilité de son raisonnement, et celle de son identité. Peut-il vivre avec cette ulcération narcissique, sans se désintégrer ? Ta démonstration est belle, concède l'Empereur, mais de quel droit me coupes-tu ainsi la chique ? Qui oserait avoir raison contre le chef, sans en payer le prix ? La domination intellectuelle du serviteur sur le chef pourrait s'apparenter à une castration symbolique, inacceptable pour le régime impérial. Celui qui a porté atteinte à son honneur doit intégralement disparaître, être réduit en cendres. Il en va de l'intégrité du souverain et donc de celle du royaume.

Ketya va donc être jeté dans une fournaise. Pour les rabbins, la référence n'est pas anodine. Abraham, le père du monothéisme, l'homme qui a quitté un jour le monde des idolâtres, avait été lui-même soumis à cette épreuve dans son enfance, et jeté dans une fournaise par Nimrod le tyran de la Chaldée avant d'en sortir miraculeusement indemne. Tout se passe comme si Ketya devenait un fils d'Abraham en suivant symboliquement le même rite initiatique.

Et tandis qu'on s'emparait de lui et qu'on l'emportait, voilà qu'une matrone s'adressa à Ketya : « Pauvre navire qui se met en route sans avoir payé la taxe de passage ! » Il tomba alors sur son prépuce et le déchira, en disant : celui qui paie le prix, peut passer.

Soudain surgit dans le récit la parole d'une femme, sous les traits d'une matrone romaine. Le texte semble exiger là un témoin extérieur, la voix d'un autre, qui est ici une autre, et qui représente l'altérité dans le récit. Elle est le tiers de l'histoire. Dans le Talmud, le féminin incarne bien souvent cette voix, une sagesse extérieure qui questionne le pouvoir en place et la phallocratie. Son impuissance physique ou politique détient la clé d'un autre type de pouvoir, celui des mots et des gestes quotidiens.

Le monde féminin du Talmud, c'est toujours la sagesse de l'*outsider*. En cela, dans les textes, les figures de la femme et du Juif sont étrangement liées. Les deux groupes partagent la condition d'impuissant dans le monde de la domination romaine, et doivent agir politiquement par la ruse et la séduction de la parole, seuls outils laissés à leur disposition.

L'arme des femmes et des Juifs dans le texte est le langage. La force d'une parole et du mot, qu'en hébreu on nomme *Mila*, terme à double sens puisqu'il signifie aussi « circoncision ». La Mila est en hébreu une coupure introduite soit dans la phrase, soit dans le corps. Elle tranche et crée de la discontinuité. Ketya, pour ses mots et la force de son langage, est coupé des siens et emporté vers un autre monde. Mais peut-il vraiment y passer ? Peut-il facilement s'extraire du monde fasciné par l'intégrité, qui l'a vu naître et grandir ?

La matrone l'interpelle et lui demande dans le langage codé du mythe : le navire peut-il voyager sans payer l'impôt de passage ?

Ce navire évoque bien sûr l'embarcation de la mythologie gréco-romaine, qui permettait à Charon de faire traverser aux morts le Styx, rivière des enfers dont le nom signifie « la haine ». Ketya peut-il traverser cette haine sans payer l'obole ? demande la matrone.

Pour les rabbins, la question résonne aussi autrement, comme un écho presque parfait à la question posée quelques lignes plus haut par l'Empereur Antonin : « Comment savoir si un homme comme moi a sa place dans le monde futur ? » Ou pour le formuler autrement : est-il possible pour un enfant d'Esaü, un membre de ce peuple idolâtre, d'échapper à la haine qui l'habite ? de passer dans un autre univers mental ?

Immédiatement, Ketya, l'homme de la coupure, arrache son prépuce, et mime l'acte de la circoncision d'Abraham. « Celui qui paie le prix peut passer » : oui, affirme Ketya, cette haine peut passer en moi. Mais il en coûte quelque chose : le prix d'une coupure, et le choix de vivre avec l'incomplétude.

Pour autant, la circoncision de Ketya n'est pas une conversion, au sens strict du terme. Le conseiller romain n'est pas devenu juif en cet instant, mais cette coupure charnelle parachève un processus engagé bien plus haut par sa parole : Ketya s'est coupé du monde de son chef antisémite, le monde de l'obsession de l'intégrité, et il en sort en voyageant hors du lieu de sa naissance, exactement comme Abraham le fit un jour, pour faire sienne la coupure et ne plus idolâtrer la complétude. Ketya est devenu un fils d'Abraham, pas un Juif, mais d'une certaine manière un non-idôlatre, comme Abraham le tout premier d'entre eux. Il est devenu un *ivri* au sens étymologique du terme, un homme de passage, qui peut donc maintenant passer…

Comment coudre ensemble les deux morceaux de cette histoire ?

D'un côté, il y a un empereur qui, dans sa relation au monde juif, est prêt à se féminiser. De l'autre, un souverain bien décidé à ne pas se laisser castrer par la présence d'un peuple juif qui menace son intégrité, ni par la parole d'un conseiller qui se coupe de lui et d'une partie de son corps.

Antonin et Ketya sont décrits tous deux comme ayant une place dans le monde à venir : c'est-à-dire comme pouvant échapper à la haine meurtrière qui mine une partie des leurs. Cette possibilité d'être un fils d'Esaü mais de ne pas agir comme Esaü, le refus de la fatalité antisémite, est clairement énoncée mais elle est aussi conditionnée à une démarche très particulière : la capacité à vivre avec la coupure, la brisure, l'incomplétude, le pouvoir de renoncer à la tentation intégriste.

Cette capacité à vivre avec le manque et l'infini, se nomme dans la pensée juive « le féminin ». Il se dit en hébreu NEKEVA, un mot qui signifie « trou » ou « oblitération ». Il est raconté dans ce texte via le féminin d'un empereur dans sa relation quasi conjugale au maître, ou par le féminin d'une matrone qui offre un passage à l'homme envoyé à la mort par l'Empereur, ou encore par celui d'un conseiller impérial dont la circoncision raconte la coupure symbolique de ses origines.

Ni Antonin ni Ketya ne se convertissent. Le judaïsme ne dit pas qu'hors de lui point de salut. Mais la pensée rabbinique semble mettre en garde contre ce qui menace toute identité qui se croit pleine : la haine du Juif comme porteur extérieur de la coupure qu'on refuse de voir en soi.

Pas besoin d'être juif pour vivre avec le manque. Mais difficile de ne pas être antisémite quand on veut vivre à tout prix sans vide et sans béance.

Castration

Interrompons un instant l'enquête talmudique et faisons un grand voyage dans l'espace et le temps, depuis les premiers siècles de notre ère dans la province romaine de Judée, jusqu'au début du XXe siècle dans la « Mitteleuropa ».

En 1909, à Vienne, Sigmund Freud se penche sur le cas du petit Hans, un enfant de cinq ans atteint de phobies. Dans une note de bas de page de son étude, le père de la psychanalyse écrit une phrase surprenante : « Le complexe de castration est la plus profonde racine inconsciente de l'antisémitisme. » Il ajoute : « La morgue envers les femmes n'a pas de racine inconsciente plus forte. »

Freud établit au siècle dernier un lien direct entre antisémitisme et misogynie en tant qu'ils émanent tous deux d'un même territoire mental, des mêmes profondeurs de l'inconscient, et d'une peur de la castration, c'est-à-dire du vide, de la perte et de la séparation. Quand l'autre incarne le manque et l'impossible totalité, je le hais de menacer ainsi mon intégrité. Je lui en veux à mort de trouer ma complétude.

Le Talmud ne s'en était-il pas déjà fait la voix dans la description de sa confrontation avec Rome ? Les sages y suggèrent constamment que la haine des Juifs n'est pas appréhendable sans une réflexion sur la place du féminin dans le texte et dans l'Histoire. Car le Juif et la femme incarnent tous deux le manque aux yeux du haineux.

La Bible, bien avant cela, en donnait un avant-goût dans un texte déjà évoqué : le livre d'Esther. Dans ce récit, le motif de la castration et de l'antisémitisme font une apparition simultanée. Haman, l'ennemi des Juifs, veut à tout prix les exterminer, et il fomente un génocide dans le palais d'un souverain nommé Assuérus, dont tous les serviteurs, dit le texte, sont… des eunuques. La castration de tous les hommes au service du roi revient comme un leitmotiv dans le livre d'Esther, au point de créer un effet comique : quel est donc ce royaume où tous les hommes ou presque sont impuissants, tant physiquement que politiquement ?

Dans ce royaume règne une puissante misogynie. Dès les premières lignes du récit, le roi promet à ses sujets que les hommes seront bientôt à nouveau respectés par leurs femmes et « maîtres de leur maison[1] ». Dans le palais du roi de Perse, la castration des serviteurs protège le gynécée, mais c'est précisément au cœur de ce monde à la virilité menacée et impuissante que l'antisémitisme surgit et déchaîne sa folie.

Comme en un subtil clin d'œil, le Talmud, édité quelques centaines d'années plus tard, vient raconter l'histoire de l'Empereur Antonin et le nomme « Antonin fils de Severus »... mais ô surprise, lorsque l'éditeur du Talmud écrit son nom, il y place une faute d'orthographe. Une lettre, un aleph, est ajoutée au début du nom de l'Empereur dans le folio du Talmud. Rabbi s'adresse à Antonin fils de Severus, mais on y lit « fils d'Assuérus ».

À chaque fois que l'antisémitisme pointe le bout de son nez, nous sommes finalement un peu de retour dans ce palais perse. Esther doit faire face à la phobie et à la folie d'un Haman qui craint pour sa virilité et son intégrité. Assuérus a le visage de tous les souverains de l'Histoire : capable d'être pour les Juifs une puissance protectrice ou au contraire une menace d'anéantissement. Il peut choisir de leur faire une place dans le royaume ou s'imaginer le sauver en les éradiquant. Tout dépend de sa capacité à dépasser l'angoisse de

1. Esther 1:22.

castration et à écouter la voix du féminin, celle d'une matrone ou d'une reine, face à lui ou en lui.

Tout nous porte maintenant à explorer ce motif et à oser cette question dérangeante :

L'antisémitisme est-il un problème de virilité ? Et si la haine des Juifs était un peu une guerre des sexes ?

CHAPITRE 3

L'antisémitisme est une guerre des sexes

Commençons par la coquille, celle qu'un lecteur trouve un jour dans un livre. Ce lecteur se nomme Jacques Derrida et l'ouvrage qu'il parcourt est signé Jean-Paul Sartre. Il s'agit de *Réflexions sur la question juive*. Dans l'introduction de l'essai, Derrida lit :

« Le Juif est un homme que les autres hommes tiennent pour Juif : voilà la vérité simple d'où il faut partir » et il commente : « Mon édition comporte une étrange et signifiante coquille : on y lit un*e* homme : le juif est une homme [1]. »

Voilà l'énoncé faute de frappe simple d'où nous pourrions partir, et suggérer qu'en bien des moments de l'Histoire, le Juif fut en effet un homme au féminin, aux yeux d'un autre, ou en tout cas la marque d'un féminin agissant sur le monde.

---

1. Cité dans *Judéités, Questions pour Jacques Derrida*, Galilée, 2003, p. 27.

En 2015, l'ancien président du Conseil constitutionnel, Roland Dumas, interrogé au sujet du Premier ministre Manuel Valls, déclare penser que ce dernier est « sous influence », parce que sa femme est juive. Vieille imagerie antisémite : la juiverie séduit toujours le pouvoir pour mieux le manipuler, elle l'enjuive comme on enjolive pour mieux engeôler. Ne cherchez pas d'où vient la faiblesse de l'homme : c'est de la femme juive qui se cache derrière lui, ou en lui. Le rapport des Juifs au pouvoir politique serait toujours un peu un projet féminin.

Dans les années 1930, lorsque Léon Blum arrive au pouvoir en France, on lit par exemple sous la plume d'un certain Jean-Pierre Maxence : Léon Blum « est une femme savante qui brille dans son salon ébloui. Voyez-le dans le feu d'un meeting, c'est la femelle qui tantôt rôde autour du mâle, le flaire, le flatte, tantôt menace dans les gémissements ». Pour Léon Daudet, il est la « fifille » et la « mamzelle », « qui a des colères et des tressaillements de femme ». Pour Charles Maurras, il est « Fleur Blum, baptisée au sécateur », tandis que l'Action française le présente comme « une grande hystérique » et que *L'Humanité* le qualifie de « grande coquette »[1].

1. Tous ces exemples sont tirés de la biographie de Léon Blum, *Léon Blum : Un portrait*, par Pierre Birnbaum, Seuil, 2016.

La féminisation du Juif dans le discours politique sert généralement à faire de l'homme enjuivé un faible, ou de l'homme juif un manipulateur, un hystérique ou un opportuniste. Autant d'importations d'une rhétorique misogyne traditionnelle qui vont disqualifier un individu dans l'exercice du pouvoir.

Les règles juives

La féminisation du Juif ne touche pas que son caractère, de nombreux textes antisémites suggèrent que la virilité fait biologiquement défaut au corps juif, et pas simplement à son esprit. Dès le Moyen Âge, fleurit une littérature antijuive qui affirme que le corps de l'homme juif saigne chaque mois, par l'un ou l'autre de ses organes, le nez ou l'anus, de préférence. La figure du Juif hémorroïdaire est récurrente dans l'imagerie et les récits antisémites. (Ce qui donne lieu à de très bonnes blagues juives, telles que : « Quelle est la maladie la plus antisémite qui soit ? Les Hémorroïdes » – i.e. Les « Mort aux Yids ! »)

Au XIIIe siècle, l'anatomiste chrétien Thomas de Cantimpré écrit que les hommes juifs ont des menstruations et que ce phénomène est la preuve d'une malédiction ancestrale. Les Juifs saigneraient pour payer le sang du Christ versé. La logique est simple : c'est parce qu'ils ont saigné qu'ils saignent à leur tour… et c'est ce qui nous autorise à les « saigner ».

Cette référence au sang est aussi au cœur des accusations de meurtres rituels. Les Juifs sacrifieraient des enfants chrétiens pour tenter de gagner le salut ou pour régénérer leur taux d'hémoglobine, après leurs saignements mensuels[1]. Des traces de ce type de fantasmes hantent la littérature antijuive, jusqu'au XVIIe siècle.

Puis, au tournant du XXe siècle, apparaît toute une littérature et une « science » de la race juive, sur lesquelles l'idéologie nazie va fortement s'appuyer. Le corps juif est alors systématiquement décrit comme biologiquement différent ; les recherches à ce sujet accompagnent tout le début du XXe siècle et vont fréquemment accréditer le motif d'une virilité dénaturée.

---

1. Pour d'autres références à ces légendes antisémites sur la menstruation des Juifs, voir le livre de Sander Gilman, *The Case of Sigmund Freud, Medicine and Identity at the Fin de Siècle*, John Hopkins ed., 1993, p. 97-98.

Par son esprit et par son corps, le Juif est comme la femme. C'est ce qu'affirment ces « recherches » scientifiques, qui énumèrent la longue liste des caractéristiques communes à l'un et à l'autre : l'hystérie, l'infiabilité, la manipulation ou même l'intérêt pour l'argent.

Au cœur de sa propagande, Hitler s'appuiera fortement sur ces théories, notamment à travers les travaux d'un jeune homme nommé Otto Weininger, dont Hitler dira plus tard qu'il fut « l'unique Juif honnête ».

Ce jeune homme, profondément haineux de ses origines, écrit en 1903 un livre intitulé *Sexe et Caractère*, juste avant de se suicider, et de tuer ainsi complètement le Juif en lui.

Weininger écrit dans ce livre, best-seller du début du siècle dernier :

« Quiconque a réfléchi à la fois sur la femme et sur les Juifs aura pu constater non sans étonnement combien le Juif est pénétré de cette féminité dont on a vu plus haut qu'elle n'est rien de plus que la négation de toutes les qualités masculines » ou encore « la femme et le Juif sont le gouffre au-dessus duquel le christianisme s'est édifié ».

Aux yeux de Weininger, son époque n'est pas seulement « la plus juive, mais aussi la plus efféminée de toutes ». Qu'entend-il par là ? Dans l'énoncé détaillé des traits de caractère partagés, selon lui, par le Juif et la femme, il est un élément central commun aux deux identités : l'image dédoublée de soi, comme racine de la crise que connaît alors la société européenne.

Le Juif serait selon Weininger l'incarnation de l'ambiguïté, de la dualité intérieure fondamentale qui menace chacun d'entre nous. Il est la figure de l'Autre qui contamine le Même, la faille en soi que l'on voudrait combler. Dès lors, il détruit le monde en y instillant à la fois le doute et la dualité. Or Weininger se plaît à rappeler que ces deux mots partagent la même étymologie : l'esprit juif est le règne du « deux ». Il empêche à jamais au monde de faire « Un »[1].

En cela, la culture juive serait pour Weininger aux antipodes des valeurs du christianisme et de celles de l'identité aryenne. Tous deux encensent l'accomplissement, et ne peuvent faire de place au doute. Quant à l'identité aryenne, elle chérit

1. Voir Christina von Braun, « "Le Juif" et "la femme" : deux stéréotypes de "l'autre" dans l'antisémitisme allemand du XIXe siècle », *Revue germanique internationale*, 5, 1996, p. 123-139.

plus que tout l'univocité : un peuple, un empire, un chef suprême.

Ce que Weininger propose n'est rien de moins qu'une « voie de rédemption ». À ses yeux, dominer la femme et le Juif, c'est les extirper de soi-même pour s'en libérer. L'urgence est donc de se débarrasser de cet autre qui nous empêche d'être nous et de faire enfin « Un » avec soi. La purification du Juif en soi est une obsession dans l'œuvre de Weininger, et la « sexualité juive » incarne à ses yeux la dépravation morale que ce corps produit.

« Le Juif, écrit-il, est toujours plus lascif et plus porté à la luxure que l'Aryen. » Comme la femme, il serait davantage dominé par le plaisir, les sens et la chair. Weininger va puiser dans toute une littérature pseudo-scientifique de cette fin de siècle en Europe, qui se plaît à associer la judéité à l'obsession sexuelle ou au crime passionnel. La supposée identité juive de Jack l'Éventreur est, par exemple, souvent mise en avant à cette époque et interprétée comme un ressort de sa folie meurtrière [1].

1. Otto Rank in « The essence of Judaism », cité par Sander Gilman dans *The Case of Sigmund Freud* p. 26 : « D'autres "chercheurs" antisémites affirment que chez les Juifs, comme chez tous les parasites, la composante sexuelle jouerait dans leur physiologie un rôle plus important que dans d'autres "espèces" ou ethnies. »

Ce motif sexuel de l'antijudaïsme existait déjà dans la littérature de l'Antiquité : Tacite décrivait par exemple les Juifs comme « *projectissima ad libidinem gens* », le peuple le plus libidineux qui soit, celui dont les mœurs sont les plus dissolues. Rien de très neuf sous le soleil, si ce n'est une dose de démonstration « scientifique » comme ce fin-de-siècle en raffole, à l'appui d'une obsession ancestrale.

L'Enfance d'un chef

En 1939, Jean-Paul Sartre publie une nouvelle dans laquelle il décrit l'éducation, les expériences et le cheminement intellectuel d'un jeune homme, Lucien Fleurier, depuis une enfance dorée jusqu'à son engagement militant antisémite. Le texte interroge sous la forme d'un roman d'apprentissage les sous-bassements de la personnalité autoritaire, et la façon dont ce jeune homme fera de sa haine le pilier de son identité. Sartre se demande ce qui peut bien conduire un garçon sensible, puis un adolescent en quête d'aventure, jusqu'à ce virage mortifère.

Les deux extrémités du livre, mises bout à bout, offrent une subtile clé de lecture.

La nouvelle débute par une scène initiatique, racontée comme un souvenir marquant de la petite enfance du héros. Lucien, un jour de fête religieuse, est dans les bras d'un ami de sa famille qui, le prenant pour une petite fille, le taquine :

« "Comment t'appelles-tu ? Jacqueline, Lucienne, Margot ?" Lucien devint tout rouge et dit : "Je m'appelle Lucien." Il n'était plus tout à fait sûr de ne pas être une petite fille (...) Il avait peur que les gens ne décident tout à coup qu'il n'était plus un petit garçon. »

C'est avec la confusion des genres et le trouble de l'enfant sur l'incertitude de son sexe que Sartre débute le récit de cette vie, comme s'il s'agissait d'un fondement de la personnalité autoritaire en devenir. La nouvelle s'achève par la métamorphose du héros, celle qui vient sceller son identification à l'antisémitisme, et qui érige la détestation du Juif en colonne vertébrale de son identité.

« Lucien se contempla encore une fois, il pensa : "Lucien, c'est moi ! Quelqu'un qui ne peut pas souffrir les juifs." » Et Sartre décrit ainsi le pilier identitaire de son héros : un antisémitisme « impitoyable et pur, il pointait hors de lui comme une lame d'acier, menaçant d'autres poitrines. Ça, pensa-t-il, c'est... c'est sacré ».

Dans sa métamorphose sacrée, sorte de cérémonial religieux de confirmation antisémite, Julien prend immédiatement deux décisions. D'abord, il épousera un jour une jeune fille vierge : « Il l'épouserait, elle serait sa femme, le plus tendre de ses droits. (...) il lui dirait "tu es à moi !" Ce qu'elle lui montrerait, elle aurait le devoir de ne le montrer qu'à lui, et l'acte d'amour serait pour lui le recensement voluptueux de ses biens. Son plus tendre droit, son droit le plus intime : le droit d'être respecté jusque dans sa chair, obéi jusque dans son lit. »

C'est dans le sillon de cette décision que Lucien en prend une autre : se laisser pousser la moustache ! *L'Enfance d'un chef* est une nouvelle qui fait de la quête de virilité, ou plus exactement de la menace qui pèse sur celle du héros, le ressort principal du basculement autoritaire et antisémite. Le jeune homme qui doute de son identité sexuelle et de son intégrité masculine vient abriter sa vulnérabilité à l'ombre d'une haine majestueuse et réconfortante, dans le contrôle absolu sur un féminin soumis. Voilà ce qui fait de lui un homme, un mâle, indubitablement... « un chef parmi les Français ».

Une maladie masculine ?

Et si au tournant du siècle dernier, au cœur de l'Europe, les hommes avaient connu une crise de virilité ? Élisabeth Badinter, dans *XY, de l'identité masculine*, le suggère et rappelle que cette angoisse identitaire, largement décrite dans la littérature [1], n'était « pas étrangère à la montée du nazisme et plus généralement du fascisme européen. L'arrivée d'Hitler au pouvoir résonnait inconsciemment comme une promesse de restauration virile [2] ». Ainsi à la fin du XIXe siècle et au début du XXe, on assiste à une recrudescence d'ouvrages misogynes et de discours diffamatoires contre les femmes, précisément au moment où la question de leur émancipation prend de l'ampleur. « C'est moins la dissolution de la cellule familiale traditionnelle qui inquiète l'intellectuel viennois que l'émancipation de la femme », écrit Élisabeth Badinter.

Simultanément, la littérature antisémite connaît le plus important de ses essors. Le Juif y incarne le « moins qu'homme » et le mâle féminisé. Tandis que bien souvent la Juive est présentée sous les traits de la femme émancipée, une « virago », c'est-à-dire une femme virile. En miroir, ces deux stéréotypes antisémites, la femme virilisée et l'homme féminisé, ont en commun d'incarner la

1. Voir notamment J. Le Rider, *Modernité viennoise et crise de l'identité*, PUF, 2000.

2. É. Badinter, *XY, de l'identité masculine*, Odile Jacob, 1992.

menace qui pèse sur la domination masculine et la norme genrée dans la société.

D'autres auteurs créent un lien plus ou moins direct entre haine des Juifs et crise de virilité. Le philosophe Theodor Adorno, par exemple, dans ses travaux sur l'antisémitisme [1], explore le lien entre la personnalité autoritaire qui se construit sur des références patriarcales strictes, et la propension aux préjugés. L'historienne Shulamit Volkov affirme, quant à elle, que l'antisémitisme au début du XXe siècle est clairement un « code culturel » qui réunit tous ceux qui s'opposent à l'idée de l'émancipation, particulièrement celle des femmes [2].

Enfin, la psychanalyste Margarete Mitscherlich, développant les théories d'Adorno sur la « personnalité autoritaire », va soutenir que l'antisémitisme est une « maladie masculine [3] ». La haine antijuive serait, selon elle, une « pathologie du surmoi », une

---

1. T. Adorno, *Études sur la personnalité autoritaire*, Allia, 2007.

2. Voir ces références dans l'article de Marina Allal, « Antisémitisme, hiérarchies nationales et de genre : reproduction et réinterprétation des rapports de pouvoir », *Raisons politiques*, 2006/4 (n° 24), p. 125-141.

3. Margarete Mitscherlich-Nielsen : « Antisemitismus – eine Männerkrankheit ? Psychoanalytische Betrachtungen », *in* Günther Bernd Ginzel (dir.), *Antisemitismus. Erscheinungs-*

façon de projeter sur le Juif des pulsions refoulées pour tenter de se débarrasser d'elles en se débarrassant de lui. Or, ce phénomène, directement lié à l'angoisse de la castration, toucherait davantage les hommes que les femmes et témoignerait des structures patriarcales des sociétés modernes. Certes, les femmes pourraient aussi en être atteintes, mais elles devraient pour cela endosser d'abord les stéréotypes patriarcaux et les promouvoir à leur tour.

La vision du Juif comme un homme dévirilisé, qui menace l'intégrité physique ou psychologique du mâle et donc l'intégrité de la nation ou du groupe, hante la déferlante antisémite du XXe siècle.

Le « petit Juif » et le « grand Goy »

Et si le préjugé antisémite qui fait de l'homme juif un être en manque de virilité recelait une part de vérité ? C'est cette question provocatrice que le chercheur américain Daniel Boyarin ose poser dans son livre *Unheroic Conduct, the Rise of Heterosexuality and the Invention of the Jewish Man.*

---

formen der Judenfeindschaft gestern und heute, Cologne, Verlag Wissenschaft und Politik, 1991, p. 337-342.

Et s'il y avait « quelque chose de correct – mais très mal énoncé – dans la représentation récurrente de l'homme juif comme une "sorte" de femme[1] » ?

Dans le Talmud et dans de nombreuses légendes rabbiniques, s'affrontent le monde des rabbins et celui des Romains, comme deux types de masculinité antagonistes.

Plusieurs récits décrivent cette confrontation archétypique comme s'il s'agissait d'une opposition genrée. Le plus célèbre et le plus emblématique de ces face-à-face dans le Talmud est sans doute celui qui confronte deux hommes : Rish Lakish et Rabbi Yoh'anan.

Rish Lakish est un brigand né autour du IIIe siècle à Tibériade. Connu pour sa force physique, il devient selon la légende un gladiateur, mode de vie très éloigné de l'idéal rabbinique. Un jour, il croise en chemin un sage de la maison d'étude, Rabbi Yoh'anan, célèbre dans le Talmud non seulement pour son érudition mais aussi pour sa très grande beauté et pour une particularité physique : Rabbi Yoh'anan est imberbe. Cet homme est donc aux antipodes du « mâle alpha » : il a le visage d'une femme.

---

1. Daniel Boyarin, *Unheroic Conduct*, University of California Press, 1997, p. 3.

Leur rencontre est ainsi contée :

Un jour, Rabbi Yoh'anan nageait dans le Jourdain. Rish Lakish le vit et le prit pour une femme. Il jeta son couteau et plongea derrière lui. Yohanan lui dit : Ta force devrait être consacrée à la Thora. Rish Lakish lui répondit : Toi, ta beauté devrait être pour les femmes. Rabbi Yoh'anan lui dit alors : Si tu changes de voie, tu pourras épouser ma sœur qui est encore plus belle que moi. Rish Lakish accepta mais quand il tenta de regagner le rivage, ses forces l'avaient abandonné[1].

Étrange rencontre entre deux mondes au bord d'une rivière : Rish Lakish est trompé par l'image d'un corps imberbe, immergé dans l'eau. Il croit apercevoir une femme et saute la rejoindre, sans doute pour la violer. Or cette femme est en réalité un sage qui maîtrise mal l'art de la violence physique mais parfaitement celui de la joute verbale. Ainsi va-t-il convaincre le gladiateur de rejoindre « l'autre rive », d'abandonner le monde romain viril, pour rejoindre celui des rabbins. Mais à l'instant où celui-ci accepte, il n'a plus la force physique de rejoindre le rivage. Rish Lakish vient de troquer ses muscles contre une autre forme de puissance, celle de l'intellect et du verbe.

1. Talmud de Babylone, Baba Metzia 84a – voir mon *En tenue d'Ève* pour une analyse plus détaillée de ce passage.

Il ne s'agit en rien d'une castration : Rish Lakish gagne même une femme dans l'échange, la sœur de Rabbi Yoh'anan. Mais c'est désormais un autre type de masculinité qui est devenu la sienne.

Boyarin voit, dans cette autre façon d'être homme, une construction rabbinique des premiers siècles, sans doute en réaction au mode de virilité dominante de l'époque. Il s'agirait d'une forme d'appropriation *ex post facto* de ce que la norme romaine plaquait sur le Juif : l'image d'une impuissance physique et politique qu'ils incarnent pour Rome. Les rabbins auraient fini par intégrer ce regard extérieur, pour le revendiquer, non comme un handicap mais comme une force, en se définissant « contre » un archétype non-juif qui allait devenir leur antimodèle. Voilà ce qui allait les pousser à encenser une masculinité non musculaire, tel un contremodèle de celui du gladiateur ou du légionnaire, et simultanément à consolider le cliché physique du non-Juif à leurs yeux. « Les Juifs avaient besoin d'une image contre laquelle se définir, écrit Boyarin, et c'est ainsi qu'ils ont produit la figure du "Goy", comme une hyperbole – une image renversée de leur propre norme. » Cette confrontation de masculinités n'est pas sans lien avec la pratique de la circoncision, que les Romains avaient en horreur et qui leur apparaissait comme une castration.

Le genre atypique de l'homme juif aurait donc agi comme un outil de résilience, une façon de transformer ce qui aurait pu être un handicap en une force d'édification de l'identité. Au Juif, la subtilité, la ruse et le maniement des mots… au « Goy », le muscle, la vulgarité et le maniement des armes. La caricature littéraire du non-Juif aurait ainsi permis au faible de l'histoire de reconstruire son honneur et sa dignité.

Des traces en subsistent d'ailleurs, ici ou là, dans le langage, sous la forme de métaphores ou d'expressions surprenantes. En yiddish, le pouce, le « gros » doigt de la main, celui qui assure la préhension, est parfois appelé le « Goy ». À l'inverse, une célèbre expression antisémite en français parle de « coup du petit Juif ». Cognez-vous le coude et la décharge électrique que vous ressentirez dans le bras porte ce nom « charmant », une douleur qui vous prend en traître, et s'élance jusqu'à la plus petite extrémité de la main, le petit doigt.

L'homme juive

Une forme de « féminisation » assumée de la masculinité juive est-elle une simple réaction à la domination environnante ? N'est-elle qu'une force de résilience ou préexiste-t-elle à cette confrontation avec le monde romain ?

Le lecteur de la Bible s'en fait une idée en ouvrant les livres des Prophètes. Il y découvre qu'Osée, Isaïe et tant d'autres s'attachent étrangement à la même allégorie : la relation du peuple juif à son Dieu est toujours contée sous la forme d'un lien conjugal. Il est question d'une histoire d'amour, scellée au mont Sinaï, et testée par la suite. Comme chaque relation amoureuse, celle-ci connaît des lunes de miel et des perturbations, des moments de retrouvailles et des crises conjugales. Le peuple est tour à tour décrit comme fidèle, rebelle, soumis, adultère. Mais c'est toujours le féminin qui est privilégié comme le genre du peuple, dans sa relation à un Dieu masculin. Cette allégorie amoureuse est celle du plus célèbre chant d'amour biblique, le Cantique des Cantiques : la relation de la bergère au berger personnifie le lien d'Israël à son Dieu. Dans chacun de ces textes des Prophètes, le peuple juif prend les traits d'une femme engagée dans une relation à un viril transcendant.

Il existe bien dans la Bible des êtres qui incarnent la puissance virile, des Samson, des Josué, des guerriers puissants ou des grands prêtres au corps parfait. Mais ce ne sont jamais ces hommes que les rabbins choisissent comme modèles d'identification.

Les héros qu'ils privilégient, ceux qu'ils invoquent quotidiennement dans la prière, sont des personnages d'un autre type, partiellement vulnérables, souvent handicapés. Ce ne sont pas des modèles de puissance physique, et jamais d'invincibilité.

Abraham souffre de stérilité, un handicap considérable dans une société patriarcale qui perçoit la descendance comme le signe d'une bénédiction divine. Isaac est décrit comme aveugle, faible et manipulable. Jacob est ce fils fragile et peureux qui devient un homme boiteux. Quant à Moïse, il bégaye.

En somme, aucun de ces hommes n'incarne une hyper-virilité, ou un masculin musculaire, mais chacun d'eux raconte la capacité de surmonter un handicap, et de faire preuve de résilience. Ces héros ne sont pas des femmes, mais ils partagent quelque chose avec l'univers féminin dans le texte : une sorte de faille assumée, une impuissance particulière sur laquelle se fondent paradoxalement leur pouvoir d'action et leur légitimité. C'est à partir de leurs faiblesses qu'ils construisent leur leadership, comme si leur puissance venait précisément d'une vulnérabilité domptée, d'un « en moins » qui leur sera un « en plus ».

Le rituel juif ne cesse de faire vivre cette idée, de se refonder sur la faille, et de constamment rejouer la brisure, de mille et une manières. À commencer par le rite de la circoncision : lorsqu'un petit garçon entre dans l'alliance à son huitième jour de vie, et que l'on retranche son prépuce en un geste traditionnel, on récite au moment de la coupure une liturgie ancestrale tirée de la Bible. Par un étrange renversement des genres, les versets énoncés le sont tous au féminin : « Je t'ai vu*e* dans ton sang (au féminin)… J'ai dit : par ton sang, tu vivras [1] (au féminin) ».

Voilà qui fait dire à certains commentateurs [2] que le rite de la circoncision serait une inscription symbolique du féminin dans le corps du nouveau-né mâle. Le creux, l'oblitération se dit en hébreu *Nekeva*, mot qui signifie aussi féminin. Dorénavant, est placé en lui un vide, qui crée précisément par le manque la condition d'une relation au transcendant. Le judaïsme n'affirme pas que les Juifs, seuls, ont accès à cette relation, mais il suggère que c'est ainsi qu'ils en ritualisent la conscience, et ne manquent pas de se la transmettre.

Aux yeux des rabbins, la circoncision n'est en rien une castration : au contraire, la masculinité

---

1. Ces versets sont tirés du livre biblique d'Osée.

2. Voir par exemple Daniel Boyarin, « This We Know to Be the Carnal Israel », *Critical Inquiry*, 18, printemps 1992.

juive véritable émerge dans ce rite de passage, comme si la coupure du prépuce « phallicisait » l'homme juif. La circoncision crée, par le retrait, la condition d'une relation à plus grand que soi. C'est dans le manque que naît la recherche d'un autre que soi, la quête d'un coupé-de-soi avec qui l'on ne fera jamais Un.

Se construire sur un gouffre

Fonder son identité sur un geste de coupure, c'est-à-dire sur un « en moins » créateur d'appartenance, c'est l'étrange proposition que fait le judaïsme rabbinique.

S'il peut la formuler, jusqu'à en faire la pierre d'achoppement de son édifice immatériel, c'est peut-être simplement parce qu'il se construit historiquement sur un manque, et pas des moindres : celui du Temple de Jérusalem.

La pensée juive des rabbins est une pensée post-traumatique qui prend pleinement son essor dans le temps de ce deuil fondamental. En l'an 70, l'hégémonie du judaïsme sacerdotal s'achève et le cœur géographique du culte s'effondre. Il faut alors affronter « théologiquement » la catastrophe. Comment expliquer qu'un Dieu laisse détruire sa résidence ? La « tout-présence » du divin dans le monde ne pourrait expliquer qu'il laisse ainsi sa maison ravagée et sa ville profanée.

Dorénavant, la pensée rabbinique, et particulièrement celle des mystiques, va intégrer l'idée du « retrait » du divin comme une présence de son absence qui fonde sa religiosité.

Le génie des rabbins consiste à construire sur la faille, à offrir à tout un peuple résilience et possibilité de se reconstruire sur la brisure du monde passé.

En cela, le judaïsme est l'enfant d'une cassure, le résidu d'un effondrement. Il s'érige sur un gouffre qui ne cherche pas à être colmaté. Il transforme ce qui aurait pu le détruire en une puissance de régénération. Et cette puissance est constamment à l'œuvre au cœur de ses rites. Aucun mariage, par exemple, ne peut être célébré sans qu'on l'évoque, dans la brisure d'un verre. Il ne s'agit pas simplement d'évoquer un passé douloureux, la destruction d'un Temple près de deux mille ans plus tôt, mais de rappeler à tout foyer en construction, à toute édification future, que *la vie juive ne se construit que dans la conscience d'une incomplétude qui lui tient lieu de fondement.* C'est le manque à être qui crée le désir d'être, le désir tout court, et qui garantit l'avenir.

Comme le dira bien plus tard Sigmund Freud : « Ce ne fut qu'après la destruction du temple visible que l'invisible édifice du judaïsme put être construit[1].»

Le judaïsme est en cela un appel étrange, un «circulez, y'a (plus) rien à voir», qui dans l'invisibilité de l'édifice permet à un peuple de se mettre en mouvement et d'exister ailleurs, non pas en colmatant ou en remplaçant l'édifice mais en s'élevant sur la cassure.

C'est toujours sur des ruines que l'identité juive s'édifie, dans la conscience qu'elle a quelque chose à voir avec une brèche entre soi et soi. «Si l'identité du Juif est de ne pas être identique à lui-même, disait Derrida, elle est nécessairement disloquée[2].»

Mais si le judaïsme fonde son identité sur un manque et une invisible dislocation, en quoi cela le rend-il particulièrement haïssable pour d'autres? Qu'ont donc à voir cette «théologie du vide» et cette religiosité de l'absence avec l'obsession antisémite?

L'édifice invisible dont parle Freud se fait paradoxalement le garant de la pérennité du judaïsme. La construction juive sur la brisure crée un système qui devient presque «increvable». Or,

---

1. *Correspondance 1873-1939*, Gallimard, 1967, p. 29-30.

2. Jacques Derrida, *Questions au judaïsme*, Desclée De Brouwer, 1996.

tel est précisément ce que l'antisémite reproche aux Juifs et au judaïsme à travers l'Histoire : leur « increvabilité ».

Cette construction sur la cassure est sans doute l'un des secrets de la pérennité juive. Le manque (sur lequel le Juif se construit) est indestructible tant qu'il accepte de ne pas être comblé. Il rappelle simultanément la tentation si humaine de s'en débarrasser. Cette faille identitaire, c'est celle dont l'antisémite essaie désespérément de se défaire. Le psychanalyste Daniel Sibony fait même de cette faille que porte le Juif (ou que l'on transfère sur lui) le cœur de « l'énigme antisémite ».

« Ceux qui refusent de reconnaître et d'assumer l'entre-deux à l'œuvre dans leur identité, écrit-il, deviennent ou sont déjà virtuellement antisémites… Haïr les juifs, c'est d'abord haïr sa propre faille identitaire[1]. » L'antisémite a tôt fait de se convaincre qu'en se débarrassant du Juif, il retrouvera instantanément la plénitude à laquelle il aspire. La haine du Juif est le fantasme d'un bouche-trou.

Le psychanalyste Fethi Benslama, dans son accompagnement de jeunes musulmans radicalisés, extrêmement sensibles à la rhétorique antisémite, fait référence à la même obsession de la faille : « Lorsqu'ils (*ces jeunes*) rencontrent l'offre de

1. Daniel Sibony, *L'Énigme antisémite*, Seuil, 2004, p. 90.

radicalisation qui leur propose un idéal total, une mission héroïque au service d'une cause sacrée, ils décollent, ils ont l'impression de devenir puissants, leurs failles sont colmatées, ils sont prêts à monter au ciel[1]. »

Avoir ou ne pas avoir, là est la question...

La haine antijuive repose sur une accusation paradoxale.

À première vue, l'antisémite reproche constamment au Juif d'avoir quelque chose que lui, l'antisémite, n'a pas. Le Juif est celui qui « a » accès : au pouvoir, à l'argent, à la chance ou à la vie à laquelle celui qui le hait aspire. Il semble confisquer quelque chose au reste de l'humanité, usurper la part d'un autre ou empêcher la nation ou le groupe de faire Un. Les privant d'un « en plus », il en jouirait « en Juif ».

Simultanément, il est perçu par certains comme un moins qu'homme. Il est celui qui « n'a pas » la virilité pleine et complète, et qui menace les frontières du groupe par la coupure qu'il incarne. Il est le manque, le sale, le « trou » et renvoie

1. Voir son interview dans *Les Inrocks* : https://www.lesinrocks.com/2016/05/15/actualite/fethi-benslama-11827292/

l'antisémite à sa peur de la castration. Il rappelle la faille identitaire, le manque à être, et tout ce qui semble empêcher son ennemi d'être complètement et intégralement lui-même.

Tout le paradoxe est là. L'antisémite croit qu'il reproche au juif d'AVOIR quelque chose qu'il n'a pas… mais il reproche aussi au juif de NE PAS AVOIR quelque chose (qu'il n'a pas non plus) mais de plutôt bien vivre sans [1]. Cachez ce trou que je ne saurais voir ! Non seulement le Juif renvoie à l'impossible identité infaillible, non seulement il incarne le vide dont on voudrait se débarrasser, mais en plus il vit avec, et même il « sur-vit » (dans tous les sens du terme : comme marqueur de pérennité et d'intensité) et il en fait le fondement de son infinie renaissance.

---

1. Voir *L'Énigme antisémite* de Daniel Sibony, *op. cit.*

CHAPITRE 4

L'antisémitisme est une bataille électorale

> «J'appartiens à ce peuple qu'on a souvent appelé élu...
> Élu ? Enfin, disons : en ballottage.»
>
> Tristan Bernard en 1942

Nous voici au cœur d'un des plus grands motifs de haine antisémite : l'« élection juive » controversée. Nourri de malentendus ou de « malintentions », l'antisémite en fait souvent la justification démocratique de sa colère. Mais qui sont donc ces gens qui se croient supérieurs à nous ? demande-t-il. Et c'est souvent au nom de l'égalité ou de la justice qu'il affirme se dresser contre cette arrogance juive qui empêcherait l'harmonie humaine de se faire, et l'universel de triompher.

Peu importe que le judaïsme ne parvienne pas précisément à définir le sens de cette notion qui lui colle à la peau. Peu importe qu'elle fasse l'objet d'infinis commentaires, sans jamais être interprétée par les sages comme relevant d'une supériorité essentielle. L'antisémite sait souvent bien mieux que le Juif ce qu'elle recouvre et ce qu'elle refuse à ceux qui en sont exclus.

Commençons par le terme hébraïque et le contexte de son énoncé.

Dans la Bible, Dieu affirme qu'il tisse avec les Hébreux un lien d'un type particulier, appelé « alliance ». Il fait d'Israël un « enfant chéri », un groupe humain avec lequel il scelle une relation particulière. Ce contrat spécifique entre un peuple et son Dieu n'a, en soi, rien d'exceptionnel. Nombreux sont les groupes humains, les tribus ou les clans convaincus d'avoir avec leur divinité une relation privilégiée. La plupart des mythes fondateurs des sociétés antiques rapportent qu'une divinité scelle avec un collectif un lien particulier qui lui promet une protection exclusive.

La Bible, elle-même, par la voix des Prophètes, suggère d'ailleurs que Dieu tisse des liens avec d'autres peuples, et pas simplement avec Israël : « N'êtes-vous pas pour moi comme les enfants des Éthiopiens, enfants d'Israël ? dit l'Éternel. N'ai-je pas fait sortir Israël du pays d'Égypte, comme les Philistins de Caphtor et les Syriens de Kir[1] ? »

---

1. Amos 9:7.

Ce texte biblique tiré de la prophétie d'Amos relativise drastiquement l'exclusivité du lien qu'entretiendrait Dieu avec le peuple hébreu. Le passage est précisément chanté dans les synagogues chaque fois qu'on y lit un extrait du livre du Lévitique[1], où il est question de la mise à part du peuple hébreu : «Vous serez pour moi une nation de prêtres et un peuple à part[2].» En d'autres termes, lorsque les Juifs disent dans leurs synagogues : « Nous sommes à part », simultanément ils lisent un texte qui dit : « D'accord, mais nous ne sommes pas les seuls ! »...

Cette relation spécifique de Dieu au peuple d'Israël est dès lors complexe à analyser. En quoi consiste cette mission particulière ? Elle est parfois interprétée comme un devoir, une tâche à accomplir ou une responsabilité qui lui incombe collectivement, sans qu'il doive convertir le reste du monde à cette mission. Elle est parfois définie comme un témoignage que ce peuple devrait porter, par sa présence, à l'humanité tout entière. Cette « élection » n'est jamais définie dans la Thora comme une supériorité de nature.

---

1. Ce passage est associé par les sages à la lecture d'un extrait de la prophétie de Amos.

2. Exode 19:6.

Le terme de « peuple élu », *Am Segoula* en hébreu, est d'ailleurs une traduction très imparfaite de ce concept hébraïque. L'expression signifie « peuple-trésor », « peuple-médicament », ou encore « peuple distingué » ou « capable d'opérer des distinctions ». Toutes ces traductions sont possibles, selon le principe de la polysémie hébraïque, mais aucune n'est véritablement explicite. En quoi un peuple constituerait-il un médicament précieux ou une thérapie ? Que serait-il en charge de traiter ou de distinguer ? Et surtout, en quoi cet attribut constituerait-il un privilège ?

Les Juifs s'autorisent à questionner le sens de cette élection mais étrangement les antisémites, eux, en doutent beaucoup moins. Tout se passe comme s'ils croyaient souvent aux textes juifs bien plus littéralement que les Juifs eux-mêmes. À la lumière de leur histoire, ces derniers ont plutôt tendance à dire : « Si l'élection nous offrait vraiment une place au soleil, cela se saurait ! » Mais qu'importe, d'autres y croient dur comme fer, et leur font le reproche de cette supériorité exclusive et excluante.

Une célèbre blague raconte que deux Juifs, assis côte à côte sur un banc, lisent la presse. Soudain, l'un d'entre eux se rend compte que son voisin est en train de feuilleter un journal antisémite.

« Mais comment peux-tu lire ce torchon ? lui demande-t-il.

— En fait, ça me rassure, répond l'autre. Dans ce journal, ils affirment que nous, les Juifs, nous avons le pouvoir, l'argent et nous contrôlons le monde. Si seulement... »

La notion d'élection juive sert souvent à nourrir le fantasme d'un Juif arrogant et sûr de sa puissance. Peu importe sa condition ou son état de vulnérabilité, il reste chargé du privilège qu'on lui prête, ou que l'on croit que son livre lui prête.

Le problème de l'élection n'est finalement pas vraiment un problème juif. En 1938, lorsque Freud publie *L'Homme Moïse et la religion monothéiste*, il écrit : « J'ose affirmer qu'aujourd'hui encore la jalousie à l'égard du peuple qui se donna pour l'enfant premier-né, favori de Dieu le Père, n'est pas surmontée chez les autres, comme s'ils avaient ajouté foi à cette prétention. »

Pour le père de la psychanalyse, le problème n'est finalement pas de savoir ce que les Juifs croient mais pourquoi certains non-Juifs y croient plus encore. Ce n'est pas la prétention des Juifs qui importe mais la foi que d'autres y portent.

La métaphore familiale de Freud n'est pas anodine. À travers la question de l'élection semble en réalité se jouer le rapport aux origines, et le problème de la position dans la fratrie familiale, en l'occurrence, monothéiste. Le « premier venu » a beau jeu de dire : « je ne sais pas exactement en quoi consiste cette intimité et cette confiance que Dieu m'a accordées dans ce texte, et ce n'est pas si important, je vous assure ». Reste entière cette question pour celui qui vient après, et qui revendique lui aussi l'héritage de la révélation première, s'affirmant en continuité avec un message reçu avant lui, par quelqu'un d'autre.

L'élection du premier peut alors revêtir la forme d'un privilège de naissance, un droit d'aînesse, et interroger les suivants : y a-t-il aussi de la place pour ma relation au divin ?

Le « puîné » dispose de plusieurs stratégies pour faire cette élection aussi un peu sienne ou pour nouer avec le transcendant un lien de même intensité : il peut dire que Dieu est capable d'autres alliances, comme un parent peut aimer ses différents enfants ; ou bien il peut suggérer que la première relation est caduque. Comme au sein de chaque fratrie, le cadet peut faire résonner une bénédiction puissante et inédite, ou accuser l'aîné d'avoir trahi et détourné l'héritage : la dernière solution semble hélas avoir connu une certaine faveur au cours de l'Histoire. La question de l'élection et celle du droit d'aînesse sont intrinsèquement liées, car toutes deux interrogent la rivalité fraternelle et le rapport aux origines. Elles demeurent omniprésentes dans les tensions interreligieuses à chaque époque, et insupportables pour les voix fondamentalistes de chaque tradition. Le propre du fondamentaliste étant d'affirmer que l'origine de sa tradition est pure et ne doit rien à l'autre, comment pourrait-il concevoir qu'un autre ait légitimement entendu le message sans lui ou avant lui, et le lui ait transmis ?

L'élection pose aussi la question centrale de la Révélation. Qu'a donc entendu le premier et pourquoi fut-il invité seul à ce rendez-vous ? La nature non-prosélyte du judaïsme – qui contrairement au christianisme et à l'islam ne définit pas sa vocation comme universelle – vient conforter chez certains l'idée d'une captation du message. Qu'ont donc entendu les Juifs dans le désert et pourquoi refuseraient-ils de diffuser la (bonne) parole à tous ?

Porte-à-porte

Mais enfin, pourquoi les Juifs ? Cette question, de très nombreuses légendes rabbiniques la posent, parfois même avec humour.

Une de ces légendes affirme qu'avant de donner la Thora aux Hébreux, Dieu serait allé frapper à toutes les portes, pour proposer à d'autres nations de faire avec lui une alliance et de leur offrir sa Thora. Aucune n'en aurait voulu, et toutes l'auraient repoussé, jusqu'à ce que les Hébreux finissent par l'accepter[1]. Les rabbins inventent là avec humour et culot la figure d'un Dieu sous les traits d'un représentant de commerce, faisant du porte-à-porte pour tenter de «fourguer» son texte comme on vendrait une encyclopédie dont personne ne veut vraiment. On est là bien loin des images pieuses d'une dévotion traditionnelle.

Une autre légende du Talmud affirme que les Hébreux n'en voulaient pas plus que les autres mais que Dieu aurait placé, au moment de la Révélation, le mont Sinaï au-dessus de leur tête comme un couvercle, et leur aurait dit: soit vous acceptez la Thora, soit je lâche cette montagne et elle sera votre tombeau[2]. La négociation aboutit alors rapidement...

Cette idée d'un peuple qui n'a rien demandé mais sur lequel la Révélation tombe comme une tuile dont il se passerait bien fut déclinée à travers

---

1. Midrash Psikta Rabbati.

2. Talmud babylonien Shabbat 88b: «Ils se placèrent sous la montagne» (Exode 19:17). Rabbi Adbimi Bar Hama l'interprète ainsi: l'Éternel a retourné la montagne au-dessus d'Israël comme un toit. Si vous acceptez la Thora, c'est bien. Sinon, ceci sera votre tombeau.

l'Histoire dans de nombreux poèmes. Le poète Yehouda Amihai écrit par exemple, au XXe siècle[1] : « Quand Dieu a quitté la Terre, il a oublié la Thora chez les Juifs et depuis ils le cherchent, et ils crient vers lui, avec une voix forte : tu as oublié quelque chose ! Tu as oublié quelque chose ! Et les autres êtres humains pensent que c'est la prière des Juifs. »

Un peuple élu qui se raconte constamment qu'il s'en serait bien passé, voilà qui présente l'élection et son privilège sous une lumière particulière, très loin de l'arrogance ou de la supériorité essentielle que l'antisémite prête au Juif. Le Juif répète à l'envi que s'il a reçu quelque chose, ce ne fut pas nécessairement de bon cœur.

Reste à savoir ce qu'il a précisément reçu. Or là aussi, les légendes s'affrontent.

Selon la tradition, le moment de la Révélation eut lieu quelque part dans le no man's land d'un désert, entre l'Égypte et la Terre promise. Ce moment est nommé en hébreu « Hitgalout », mot dont la racine signifie aussi « l'exil » (Galout). Dieu se révèle donc dans un lieu d'extraterritorialité, le mont Sinaï que nul ne sait placer précisément sur une carte, un espace dont personne n'a la propriété et où tous sont en chemin vers un ailleurs.

---

1. Y. Amihai, *Ouvert, Fermé, Ouvert*, Tel Aviv, éd. Shoken, 1998.

Dieu ne se manifeste pas dans la zone de confort d'un peuple ou d'un individu, de telle sorte, disent les rabbins, que personne ne puisse dire : cela s'est passé chez moi ! Dieu a parlé dans ma maison !

L'ensemble du peuple hébreu, cette génération d'esclaves émancipés, est réuni au pied de la montagne, mais selon la tradition il n'est pas seul en cet instant. On raconte que se trouvent là avec lui, non seulement les présents mais aussi les absents : toutes les générations juives disparues ou à naître, les âmes passées ou à venir, et qui déjà dans leur potentialité d'être se sont donné rendez-vous. Tout ce monde, cohorte intergénérationnelle, aspire à entendre et à recevoir la Loi.

Or c'est là où les choses se compliquent. Cet événement si central, qui constitue le cœur de la pensée juive, fait l'objet d'un formidable flou littéraire. Il n'existe pas de version officielle, pas d'explicitation, de ce qui a été donné ou révélé ce jour-là. Et le contenu précis de la Révélation fait l'objet d'une immense littérature, qui laisse toujours en suspens l'étendue de ce qui a été entendu.

Élévation et… chut !

Les hypothèses sont multiples. Les Hébreux ont-ils reçu la Thora écrite, telle qu'elle est lue, transmise et commentée jusqu'à aujourd'hui, sous la forme des rouleaux précieusement conservés dans les synagogues ? Non, répondent les sages, qui affirment qu'une Thora orale fut révélée en même temps qu'une Thora écrite : le commentaire aurait ainsi fait son apparition simultanément avec le texte (et certains disent même avant lui), faisant des Hébreux, non pas le peuple du Livre, mais le peuple de l'interprétation du Livre [1]. Les Hébreux auraient reçu ce jour-là, non seulement une Loi écrite mais également, par un étrange phénomène suprahistorique, l'ensemble des commentaires qui seraient faits un jour sur cette Loi écrite. Tout ce qui sera un jour interprété par un sage devant son maître a déjà été révélé à Moïse au mont Sinaï, raconte la légende.

Cette lecture de la Révélation est ce qu'on pourrait appeler sa version maximaliste. Tout ce qui sera dit un jour est déjà en germe, présent dans cet instant originel.

D'autres commentateurs affirment plus modestement qu'au mont Sinaï, tout n'a pas été révélé au peuple, mais il n'a entendu que ce qu'on nomme communément les Dix Commandements, ou les Dix Paroles, l'énoncé d'une éthique biblique en dix points, comme support ou fondation de

1. La formule est d'Armand Abécassis.

la Révélation tout entière. «Je suis l'Éternel ton Dieu… *Tu ne tueras point… Tu ne voleras point…*»

Pas du tout, répondent d'autres commentateurs, au cœur de ce débat infini. Au mont Sinaï, nous n'avons entendu que les deux premiers de ces dix commandements. À moins, répondent d'autres, que nous soit parvenu uniquement le tout premier d'entre eux: «Je suis l'Éternel ton Dieu qui t'ai fait sortir du pays d'Égypte, de la maison d'esclavage.» La Révélation au mont Sinaï serait d'abord cela, l'énoncé d'une libération et la reconnaissance d'un Dieu émancipateur. La Révélation serait l'autre nom de cette libération.

Pas tout à fait, poursuivent d'autres commentateurs de la tradition. Selon eux, le peuple hébreu, réuni au Sinaï, n'aurait entendu qu'un seul mot. Un seul. Le tout premier mot de la première phrase des dix commandements: ANOKH'I, Je suis… Tel serait le secret de la Révélation: non pas une Thora écrite ou commentée, non pas une liste de commandements éthiques, mais l'énoncé d'une existence, un «Je» divin qui résonne à travers le désert et dont tout un peuple se fait témoin.

À moins que… poursuivent les kabbalistes, le peuple n'ait entendu au mont Sinaï qu'une seule lettre. Une seule: la première lettre du premier mot du premier commandement du décalogue.

Réunis au pied de la montagne, toutes générations confondues, les Hébreux n'auraient entendu qu'un son, et pas n'importe lequel, celui de la première lettre du mot ANOKH'I, qui n'est autre que la lettre ALEPH… une lettre muette[1] !

Au mont Sinaï, lieu de la plus grande révélation de l'histoire juive, le peuple est réuni pour entendre : … rien. Un silence. Le plus grand silence de tous les temps, celui qui résonne à travers le monde. Doux privilège d'un peuple élu que d'avoir été le seul invité à… ne rien entendre !

À moins que, interrompt un autre maître de la mystique juive, Gershom Scholem, le *Aleph* ne soit pas exactement muet. « La consonne Aleph ne représente en hébreu que le premier mouvement du larynx dans la prononciation, qui précède une voyelle au commencement d'un mot. Cet Aleph représente donc l'élément d'où provient chaque son articulé (…) Pour Rabbi Mendel de Rymanow, dans tous les passages de la Révélation où il est dit que les Israélites entendirent des mots, il faut traduire qu'ils entendirent le son inarticulé de la voix[2]. »

---

1. Voir les enseignements de Rabbi Menah'em Mendel de Rymanow, XIXe siècle.

2. Gershom Scholem, *La Kabbale et sa symbolique*, Payot, 1966.

Ainsi énoncée, la Révélation au mont Sinaï ne fut pas un son, ni un silence, mais la possibilité d'un son, la parole encore inarticulée. La Révélation ne fut pas une voix mais la possibilité d'une voix, le mouvement du larynx, c'est-à-dire la mise en route d'une possibilité de dire.

Au mont Sinaï, les Hébreux furent témoins d'un pouvoir-dire, qui n'est pas la simple autonomie du langage que les Grecs nomment Logos, mais une articulation subtile entre une Loi révélée (c'est-à-dire une hétéronomie) et l'autonomie de son interprétation, un équilibre entre légalité et liberté.

C'est là où la version maximaliste et la version minimaliste de la Révélation se rejoignent. Elles suggèrent, l'une comme l'autre, qu'au commencement dans un lieu indéterminé mais capable d'unir toutes les générations entre elles, un espace qui n'appartient à personne mais qui les réunit tous, fut donnée une indétermination : le germe de tout ce qui pourrait un jour être dit. Au départ, fut révélée l'infinie potentialité du langage et de l'interprétation, un reste à dire. Ce non-dit renvoie au mont Sinaï quiconque s'inscrit dans la continuité de cette parole, quiconque sait que cette parole qui vient de lui, vient d'un Autre, bien plus grand que lui.

En un mot, la Révélation dit que «Tout» n'a pas été dit. Et l'élection du peuple juif a tout à voir avec cela, exactement comme la haine qu'il suscite.

Le monde ne cesse de demander aux Juifs: Pourquoi gardez-vous cette parole pour vous? Pourquoi avez-vous refusé de la partager? Pourquoi l'avez-vous reçue en premier et «en Juifs», c'est-à-dire à part?

Les Juifs ont beau dire par la voix des plus mystiques ou des plus laïcs: «On vous assure qu'on n'a rien entendu: on nous a juste fait le coup du Aleph muet!» Cela ne suffit pas, car reste en suspens la question du pourquoi on leur a fait le coup à eux, et pourquoi pas à tous. Et ce «pas-à-tous» est le cœur de ce qui obsède l'antisémite.

Tout au long de l'Histoire, les Juifs ont été perçus comme ceux qui empêchaient de faire «tout», de faire totalité, parce que quelque chose dans leurs rites, dans leurs corps ou dans leur croyance se posait en retrait, en coupure, en refus de faire corps avec la totalité.

«Cela se résume ainsi, écrit Jean-Claude Milner[1], par leurs rites et leurs coutumes, les

1. Jean-Claude Milner, «Lacan le Juif», *La Cause freudienne*, 2011/3 (n° 79), p. 67-73. URL: https://www.cairn.

Juifs empêchent qu'on puisse traiter, de manière consistante, de tous les hommes. Ils rendent impossible l'emploi de l'opérateur tout, quand il s'agit des êtres humains. Alors qu'ils vivent au cœur de l'oikoumené (la terre habitée), ils fragmentent l'humanité. Tant qu'ils survivent (...) les hommes est une expression mal-formée ; à la lettre, les hommes n'existent pas (...) à moins que pour sauver l'opérateur tout, on ne mette les Juifs en exception.»

Bien des projets, des empires, des religions à vocation universelle, et des humanismes, se sont élevés sur l'idée d'un *tout* salvateur, en ont fait leur Vérité ou leur chemin de rédemption. L'Empire romain, le christianisme, l'islam ou la philosophie des Lumières s'érigent en partie sur ce rêve d'universalité ou d'accomplissement, de tout ou pour tous. Mais presque immanquablement, ils en viennent à buter à un moment de leur histoire sur le « nom juif », tel que Milner le définit, comme le nom de l'impossible totalité. Et pour sauver le *tout*, il faut souvent mettre ce porteur du pas-tout, en exception. Quand les antisémites disent que « les Juifs sont partout », ils ont raison à une lettre

---

info/revue-la-cause-freudienne-2011-3-page-67.htm (cité ainsi par Ivan Segré dans *Les Pingouins de l'universel, antijudaïsme, antisémitisme, antisionisme*, Lignes, 2017, p. 32).

près : en réalité, les Juifs sont « pas-tout[1] », dans la mesure où ils empêchent un collectif plus large qu'eux de se colmater pour faire du « comme-Un ».

Les voix de la pensée juive affirment n'avoir rien entendu d'autre que de l'infini dans la parole d'un Dieu qui leur dit : « tout n'a pas été dit » mais « tout reste à dire ». Elles disent que seule l'exception particulière peut protéger le formidable élan universel d'une folie totalitaire. Elles murmurent au monde ou à l'individu que la Vérité n'est jamais « toute » la Vérité. Elle est fragmentée ou alors elle est criminelle.

Et tout projet universel, dès lors qu'il n'entend pas les failles qui le fissurent, les exceptions qui le constituent, est menacé par la tentation totalitaire, qui pour sauver le tout pour le tout, mettra les Juifs en exception.

Ce qui vaut pour un projet collectif est valable aussi dans la construction individuelle : l'antisémite cherche à se construire ou à se sauver, lui aussi, sur l'exclusion du Juif et sa mise à part. C'est ainsi que Sartre le décrit dans ses *Réflexions sur la question juive* :

1. Dans sa théorie psychanalytique, Jacques Lacan place, lui, ce terme de « pas-tout » du côté des femmes : voilà qui lierait encore un peu plus les conditions juive et féminine.

L'antisémite « est un homme qui a peur. Non des Juifs certes : de lui-même, de sa conscience, de sa liberté, de ses instincts, de ses responsabilités, de la solitude, du changement, de la société et du monde ; de tout *sauf des Juifs* (…) c'est l'homme qui veut être roc impitoyable, torrent furieux, foudre dévastatrice : tout *sauf un homme*[1] ».

La haine des Juifs se construit toujours comme une peur de *tout* et un rêve de *tout*, qui exige que le Juif y fasse exception. C'est le « sauf les Juifs… » qui permet à l'antisémite d'être « sain et sauf ».

L'élection juive le passionnera toujours pour cette raison précise. Elle met à part un groupe qu'il a lui-même choisi de mettre à part pour se définir. Elle est la « preuve » dans le texte de l'autre de ce qu'il a mis en place dans son récit personnel.

---

1. Jean-Paul Sartre, *Réflexions sur la question juive*, Gallimard, « Folio Essais », p. 57-58 (c'est moi qui souligne).

CHAPITRE 5

L'exception juive

En 2003, un sondage publié par la Commission européenne place Israël en tête d'une étrange compétition. Un large échantillon de personnes sont invitées à se prononcer à partir d'une liste de pays présélectionnés pour dire quelle nation représente à leurs yeux « la menace la plus sérieuse pour la paix dans le monde ». Israël arrive à la première place, devant l'Iran, l'Irak ou la Corée du Nord. Un tout petit pays est ainsi défini comme l'empêcheur numéro un de vivre en harmonie, le plus grand perturbateur de sérénité au monde… Le palmarès laisse songeur : Israël est-il perçu comme une menace pour ce qu'il est ou pour ce qu'il catalyse chez ses voisins ? Est-il dangereux parce qu'il existe ou par ce qu'il suscite chez ses ennemis ?

Voilà qui fait écho à la thèse de Jean-Claude Milner déjà évoquée plus haut : le nom *Juif* (qu'incontestablement Israël porte pour beaucoup aujourd'hui) représente ce qui empêche le groupe ou le monde de faire *tout*, de s'unir en une globalité pacifiée. Il est ce qui empêche de faire la paix au sens hébraïque du terme : le Shalom, c'est-à-dire littéralement la plénitude, la complétude. Pour que le monde soit en paix, il faudrait se débarrasser de ce qui divise, et que le Juif incarne.

Rome, le monde chrétien ou l'Allemagne s'en sont convaincus à un moment donné de leur histoire. Or, l'existence de l'État d'Israël semble réactiver une même menace autrement, fracturant l'entente rêvée. « Ah, si seulement Israël ne l'empêchait pas », semblent murmurer les interrogés, il y aurait dans le monde du *tout*, du plein, ou au moins on s'en approcherait. C'est cette même intégrité compromise qu'invoque une partie du monde arabe aujourd'hui, suggérant ainsi que sans Israël, l'« oumma » sera sereine et magiquement réconciliée.

Parler des Juifs, ce n'est pas exactement parler d'Israël, objecteront certains. Certes. Mais la confusion permanente des deux termes joue incontestablement un rôle clé dans ce conflit qui déchaîne les passions et les débats médiatiques de manière disproportionnée.

En sont conscients de nombreux intellectuels arabes, parmi lesquels Edward Saïd qui en bien des occasions affirmait que le succès de la cause palestinienne devait beaucoup à l'identité de ceux qu'elle affrontait. Jamais ce conflit n'aurait reçu la même attention, disait-il, si les Juifs n'avaient pas été les ennemis.

L'historien Yuval Harari relativise avec humour la puissance juive, en se moquant de l'obsession des antisémites : « J'aimerais leur dire : calmez-vous ! Les Juifs sont des gens intéressants mais quand on regarde l'Histoire de façon globale, il faut bien admettre qu'ils ont eu un impact très limité sur le monde, contrairement à toutes ces religions qui ont influencé des milliards de personnes. Un peu de modestie s'impose[1]. »

Pourtant, il faut bien le reconnaître, un micro-peuple et un micro-territoire à l'échelle internationale, alimentent les passions et les débats de façon totalement disproportionnée.

La question d'Israël tourne chez certains à l'obsession et il serait naïf ou malhonnête d'affirmer que cela n'a rien à voir avec le nom *Juif* et ce qu'il a pu déclencher à travers l'Histoire. La portée symbolique de ce nom le dépasse et ne peut être étrangère à l'ampleur du rejet qu'il suscite.

1. Article de Yuval Harari dans le journal *Haaretz*, « Judaism Is Not a Major Player in the History of Humankind », 31 juillet 2016.

On assiste depuis quelques décennies à une étrange mutation des signifiants et des images. Au lendemain de la Shoah, par exemple, le Juif incarnait en Europe la minorité opprimée et vulnérable et Israël le refuge légitime d'un peuple que l'Europe n'avait pas su ou voulu sauver. Quelques décennies plus tard, Israël est devenu pour beaucoup l'incarnation de la puissance militaire oppressive et colonisatrice, ce pays que l'Europe a laissé s'implanter là par mauvaise conscience, et les Juifs « sionistes » n'ont plus la sympathie de grand monde en Europe.

De projet d'émancipation, d'autodétermination et de construction d'un refuge national pour les Juifs, le sionisme a muté dans l'esprit de nombreux Européens en un simple système d'oppression colonial et de domination des faibles. Et cette transformation nourrit le discours de tous ceux qui ne reprochent pas tant à Israël sa politique que son existence.

L'État d'Israël a une responsabilité dans ce changement d'état d'esprit à son égard. La perte de la sympathie du monde n'est pas sans lien avec les choix politiques de ses dirigeants ou les dérives ultra-nationalistes ou messianiques d'une partie de sa classe politique. Pas sans lien, mais peut-être sans proportion.

Quelles sont les politiques nationalistes ou expansionnistes dans le monde qui interrogent la légitimité même de la nation qui les met en œuvre ?

Pourquoi la visite de personnalités israéliennes, artistes ou écrivains, dans des campus européens ou américains, déclenche-t-elle des manifestations qu'aucun intervenant russe, chinois, ou iranien... ne suscite ?

Quel que soit le regard que l'on porte sur ce conflit, que l'on opère ou pas une distinction entre les termes antisémitisme et antisionisme, que l'on s'accorde ou pas sur la définition même de ce qu'est le sionisme[1], il faut bien admettre que certains motifs de la critique obsessionnelle d'Israël font étrangement écho à des éléments du discours antisémite traditionnel.

Le Juif était accusé hier d'empêcher l'Empire, la nation ou le peuple de se consolider. Il ruinait leur continuité ou leur unité, et les « contaminait » de sa présence étrangère, de son esprit ou de ses croyances.

Israël est accusé aujourd'hui de violer la continuité d'un monde arabe par sa présence

---

1. Voir le numéro du magazine *Tenou'a* consacré au(x) sionisme(s) et à la pluralité de ses interprétations contemporaines, juin 2018.

étrangère, sa condition d'« implanté » occidental au cœur d'une unité arabe qui, comme chacun sait, se porterait à merveille sans lui... Par conséquent, les Juifs qui se disent sionistes sont perçus à travers le monde comme les complices de cette fragmentation, qui menacerait le monde entier par ricochet.

Les accusations portées contre eux reflètent souvent un élément de l'histoire de celui qui les énonce. La rhétorique antisioniste en France et en Grande-Bretagne fait d'Israël une entreprise colonialiste. Aux États-Unis résonne l'accusation d'État raciste et en Afrique du Sud, on évoque l'apartheid. Partout, la critique antisioniste porte des traces autobiographiques.

Quant à l'image du Juif de diaspora, il connaît lui une autre mutation, qui n'est pas directement liée à Israël mais plus directement au débat postcolonial qui s'est installé en Europe et dans le monde. Tandis que progressent les phénomènes de communautarisation identitaires et de compétitions victimaires, la mémoire de la Shoah prend, aux yeux de certains, trop de place. Tout se passe comme si elle faisait de l'ombre à d'autres douleurs, et finissait par être jalousée, aussi absurde que cela puisse paraître. Il semble s'organiser sous nos yeux un morbide concours de souffrances où certains disent aux Juifs : « Y'a pas que vous ! Nous aussi, on a eu mal… et même, avant vous ! » Rien ne semble désormais plus enviable ou précieux qu'un statut de victime ou d'opprimé, le privilège d'avoir sa place à l'ombre d'un grand malheur où il ferait bon s'abriter. Revient à l'esprit la phrase qu'aimait tant citer Marceline Loridan-Ivens : « Ils ne nous pardonneront jamais le mal qu'ils nous ont fait. » La souffrance juive est à la fois archétypique et mise à part.

Le Blanc-Juif et le sale Juif

Des voix s'élèvent qui, au nom des douleurs réelles du passé, de la colonisation, de l'esclavage ou des discriminations, veulent combattre ce qu'ils nomment la blanchitude[1], c'est-à-dire l'héritage de l'Europe et de sa « classe dominante » qui a fait violence aux « dominés » de l'Histoire et en conserve des privilèges. Faire entendre la parole de l'autre, de celui dont on a étouffé la voix pendant si longtemps : la démarche est essentielle et fondamentale, à condition qu'elle ne soit pas une construction identitaire aussi excluante et haineuse que ce que l'on entend condamner.

---

1. Le concept de « whiteness » est né aux États-Unis dans les années 1990.

En 2016, est paru en France un pamphlet qui a suscité de nombreuses réactions et interprétations[1], tant il accumule en quelques pages de hargne contre l'Occident, tel qu'il y est défini. Son auteur, Houria Bouteldja, est la porte-parole du Parti des Indigènes de la République (PIR), un groupe qui dit œuvrer contre toute forme de « domination impériale, coloniale et sioniste » (*sic*). Le livre *Les Blancs, Les Juifs et nous* développe l'idée que le Blanc, en tant que catégorie « sociologique », est chargé des fautes de l'Occident, et coupable par essence d'avoir dominé le colonisé.

À ses côtés, se tient le Juif. Lui a souffert, c'est indéniable, mais sa douleur ne lui ouvre pas pour autant les portes du groupe des dominés « racisés ». Pourquoi cela ? Parce que contaminé par l'Occident, le Juif s'en est fait le complice. En un mot, il s'est « blanchi ». « On ne reconnaît pas un Juif parce qu'il se déclare Juif, écrit-elle, mais à sa soif de vouloir se fondre dans la blanchité. » Si le Juif est un « dhimmi de la République », un « tirailleur sénégalais de l'impérialisme occidental[2] », alors le sionisme n'est finalement que l'expression d'une

1. Voir particulièrement la lecture d'Ivan Segré, https://lundi.am/Une-indigene-au-visage-pale

2. Houria Bouteldja, *Les Blancs, les Juifs et nous*, La Fabrique, 2016, p. 49.

nouvelle violence blanche qu'il faut combattre en faisant de « l'antisionisme (une) terre d'asile[1]... » et le lieu privilégié de la lutte contre une colonisation intemporelle.

C'est la guerre d'un « Nous », celui des exclus, des dominés, des « racisés » soudain fédérés par un abracadabra identitaire contre le « Eux » de l'Occident coupable. Or dans ce combat du *tout* décolonialisé, les Juifs sont perçus comme l'avant-garde de la tentative de fragmentation. À nouveau, ils sont ceux qui menacent le Shalom, ceux qui empêchent l'union de se faire, en Palestine comme en Occident. En Palestine, parce qu'ils soutiennent une implantation coloniale, devenue la mère supposée de tous les impérialismes. En Occident, parce qu'ils sont réputés complices des valeurs et de la philosophie oppressives des Lumières : un universalisme blanc.

Rien de très neuf sous le soleil ! À nouveau, les Juifs jouent le rôle des « pas-tout » de l'Histoire : ceux qui vont à l'encontre du grand élan unificateur. Tout est différent mais tout est pareil. Hier, ils empêchaient les « dominants » de dire Nous. Aujourd'hui, ils empêchent les « dominés » de faire bloc. Hier, ils colonisaient la pensée, et aujourd'hui la terre. Ce sont toujours eux qui

---

1. *Ibid.*, p. 66.

empêchent de faire Un, en coupant (ou en se coupant de) la belle unité.

Une chose, peut-être, est différente. Cette belle unité fantasmée n'est pas ici celle d'un universalisme, d'un empire, d'une nation ou d'un prosélytisme universel que le projet particulariste juif viendrait menacer ; mais au contraire, celle d'un « identitarisme » forcené qui dénonce à la fois la violence de l'universalisme (que le Juif de diaspora semble incarner) et le nationalisme oppressif (que le Juif israélien semble défendre).

Il nous faut tendre l'oreille vers le discours identitaire actuel et sa dénonciation de l'universalisme occidental et de ses valeurs.

Soudain, les « nous » communautaires s'élèvent de toute part contre la possibilité pour un sujet de parler à la première personne du singulier. « Non, mon corps ne m'appartient pas, écrit Bouteldja. Je sais aujourd'hui que ma place est parmi *les miens*[1] » : l'affiliation collective prend le pas sur l'émancipation du sujet, héritage des Lumières, comme si dire « Je » faisait de vous un « Blanc ».

Même écho au cœur des luttes les plus emblématiques de l'émancipation du sujet, telles que le féminisme, où résonne parfois aujourd'hui un

---

1. *Ibid.*, p. 95 (c'est moi qui souligne).

discours antiuniversel, qui retourne l'origine de ce combat sur ses fondements.

Le féminisme « universaliste » est soudain accusé par certain(e)s d'être une « invention blanche », et de vouloir émanciper les femmes de force, en les désolidarisant simultanément des combats qu'elles ont à mener pour leur « race » ou leur groupe religieux. En clair, il s'agirait d'une arme occidentale de fragmentation de l'identité, qui en voulant libérer les femmes, les couperait d'un « nous » transcendant, et d'une fidélité à autre chose.

Appropriation culturelle

La vision communautaire du monde est à l'œuvre à bien plus large échelle : elle fait du prisme « dominants/dominés » ou « privilégié/colonisé » le nouveau critère d'un jugement valide sur un groupe ou un individu. Dans cette grille de lecture, le Juif est à nouveau le lieu ou le nom d'une exclusion.

Prenez l'exemple de « l'appropriation culturelle ». À l'heure où j'écris, le phénomène semble encore très américain et restreint à certains campus où il est devenu le sujet de prédilection d'une importante agitation intellectuelle. Mais il se pourrait bien qu'à l'heure où vous lirez ces lignes, le français ait déjà forgé un terme pour le définir à sa façon et le traduire dans sa réalité. Ce débat qui agite le monde académique américain interroge la possibilité pour un individu quel qu'il soit, mais tout particulièrement s'il appartient à une classe dite « dominante », d'emprunter les codes vestimentaires, alimentaires, linguistiques, etc. d'un groupe ethnique différent, et a fortiori d'un groupe perçu comme « dominé » historiquement. Le raisonnement est à peu près celui-là : l'emprunteur risquerait de profaner un élément sacré pour une culture qui n'est pas la sienne, en le popularisant hors contexte culturel. Et, plus grave encore, il reproduirait à sa manière la violence faite par le passé, par le groupe dominant, à une culture dominée que l'on a dépouillée de ses richesses. Il s'agirait donc ainsi de réparer symboliquement une « usurpation » ancestrale, en sacralisant les frontières culturelles d'un groupe et en refusant toute appropriation de ce qui, à l'origine, relevait de sa culture.

On voit vite à quels débats infinis cette notion donne naissance : Puis-je porter un sombrero si je ne suis pas mexicain[1] ? Chanter du gospel si je n'ai pas eu d'ancêtres esclaves ? Bien sûr, ces

1. Voir https://next.liberation.fr/vous/2016/12/22/tous-coupables-d-appropriation-culturelle_1537005

exemples peuvent prêter à sourire mais il faut écouter ce débat et tenter de comprendre de quelle « révolution culturelle » il est aujourd'hui porteur dans l'esprit de ceux qui s'en emparent outre-Atlantique.

Les sociologues Bradley Campbell et Jason Manning[1] le décrivent comme le développement d'une « culture de la victime » contre une « culture de la dignité ». Cette dernière se dit l'héritière de la morale universelle occidentale, et défend (parfois naïvement) la possibilité pour un individu d'être jugé pour ses actes et non pour la couleur de sa peau ou son appartenance à un groupe ethnique. Face à cet héritage, certains revendiquent aujourd'hui une « culture de la victime » qui intègre dans le jugement que l'on porte sur un individu la couleur de sa peau ou son appartenance à un groupe. Des communautés ou des groupes humains, telles que les femmes ou les personnes LGBT, mériteraient par leur histoire et au nom de discriminations passées ou présentes une attention particulière, contrairement à d'autres individus appartenant à des groupes identifiés comme dominants ou

1. B. Campbell et J. Manning, *The Rise of Victimhood Culture : Microaggressions, Safe Spaces, and the New Culture Wars*, Palgrave Macmillan, 2018.

oppresseurs, à commencer par les hommes blancs et hétérosexuels.

Tout se passe comme si ces derniers, catégorie privilégiée à travers l'Histoire, avaient le devoir d'expier quelque chose ou se trouvaient collectivement entachés d'une faute morale transmise à travers les générations par leur groupe d'appartenance.

Cette « culture de la victime » est incontestablement soucieuse de justice et de réparation. Elle met en lumière la transmission, souvent inconsciente, de certains privilèges de classes ou de groupes, et invite à la vigilance. Mais elle constitue simultanément une négation d'un principe universel de droit : nul ne peut être accusé d'une faute qu'il n'a pas commise personnellement. Nul individu ne porte la faute collective attribuée à ses ancêtres, au nom de son ethnie, de sa couleur ou de son sexe.

Nous est un abus de langage

On retrouve dans cette bataille culturelle outre-Atlantique, comme dans les revendications des groupes identitaires en Europe, le poids d'une culpabilité collective qu'il s'agirait de faire expier. S'y opère un retournement des valeurs fondatrices de la philosophie des Lumières, celles de dignité et d'autonomie du sujet.

Affirmer qu'au nom d'une souffrance passée, vécue ou perpétrée par un groupe, un individu qui s'y rattache aurait des droits ou des devoirs spécifiques est hautement problématique. Cette logique introduit une confusion entre les sphères individuelle et collective. Une peau noire viendrait-elle raconter toute la condition noire à travers l'Histoire ? Une peau blanche porterait-elle le poids de tout ce que des individus à même taux de mélanine auraient fait par le passé ? On objectera qu'il s'agit de catégories sociologiques et non biologiques… mais qui viendra déterminer qu'un homme blanc est légitime quand il affirme qu'il ne l'est pas ?

Dans cette vision communautaire, l'individu n'est plus que l'histoire de son groupe. Il n'est plus que sa tribu d'appartenance. Il ne peut plus dire : « je suis cela et mille autres choses encore » ou même suggérer qu'il n'a rien en commun avec sa « communauté ». Il doit faire bloc avec elle, en oubliant tout ce que son identité protéiforme pourrait dire d'autre de lui, à moins de trahir sa tribu.

Ainsi se taisent toutes les autres voix en lui, étouffées par un narcissisme exclusif qui perpétuellement le renvoie à sa famille ou son clan.

Tout le paradoxe est là : c'est parce qu'un système dominant a voulu tout au long de l'Histoire faire taire d'autres voix, celles du groupe minoritaire, que pour réparer cette injustice, on finit par étouffer toute voix de ce groupe qui irait à l'encontre de l'image monolithique que certains se font de lui.

Voilà comment, au nom de la réparation d'une injustice, qui consiste à vouloir faire la lumière sur les zones les plus obscures de l'Histoire et à offrir une visibilité aux minorités, on instaure un système de négation de l'individu.

Ainsi se consolide le « nous » communautaire, qui a pour nature paradoxale d'être porté par des individus qui s'arrogent le droit de parler au nom du groupe. Comme le dit Jacques Derrida :

« "Nous" est toujours le dit d'un seul (…) C'est toujours moi qui dit "nous", c'est toujours un "je" qui énonce "nous", supposant en somme par là, dans la structure dissymétrique de l'énonciation, l'autre absent ou mort ou en tout cas incompétent voire trop tard venu pour objecter. L'un signe pour l'autre [1]. »

La parole « identitaire », même portée par un individu, est toujours celle qui signe pour l'autre,

---

1. « Pour l'amour de Lacan » dans *Résistances de la psychanalyse*, Galilée, 1996.

pour celui qui ne s'y reconnaît pas mais qui en devient malgré lui l'otage. Pour l'exprimer autrement, dire « nous » est toujours un abus de langage[1], l'expression d'une tentation de faire Un, parfois prête à écraser en chemin tout ce qui fera obstacle à la consolidation du groupe.

Convergence des luttes

Qu'est-ce que tout cela a à voir avec les Juifs et avec Israël ?

Tout d'abord, l'histoire juive l'a suffisamment expérimenté : la tentation de faire Un, et de consolider le groupe, vient toujours à un moment donné buter contre le Juif, ou s'appuyer « sur son dos », c'est-à-dire sur son exclusion. Comme nous l'avons déjà évoqué, le Juif est celui qui représente ou qui rappelle la fracture dont un groupe s'imagine qu'il pourra se passer.

Cette tentation de se consolider contre un tiers est celle que l'on retrouve à l'œuvre dans toute idéologie menacée par le totalitarisme, et bien évidemment dans le fondamentalisme religieux. Elle est au cœur du discours de pureté, quelle

1. Merci à Stéphane Habib pour cette formule, et son « midrash » de la pensée derridienne.

que soit sa déclinaison, quand la tentation du *tout* se profile pour un système de pensée. La peur de la contamination y devient obsessionnelle. On y traque la fente qui menace la frontière du groupe. On s'inquiète de la vulnérabilité du système à l'impur, c'est-à-dire à l'autre. Les porteurs les plus traditionnels de l'altérité s'appellent « les femmes » ou « les Juifs », célèbres agents marginaux et polluants qu'il faut à tout prix contrôler. Mais ils peuvent emprunter bien d'autres noms : l'exilé, l'hérétique ou l'homosexuel…

Cette obsession de la pureté peut s'infiltrer dans la rhétorique de systèmes que tout oppose. Le projet fondamentaliste religieux ou l'idéologie totalitaire de l'extrême droite n'ont bien sûr rien à voir avec l'idéal des militants anticolonialistes ou d'une partie de l'extrême gauche. On pourrait même dire qu'ils sont de mille manières aux antipodes les uns des autres, notamment dans le souci des derniers de faire entendre la voix d'une minorité, de faire de la place aux exclus du système. Mais ils partagent aussi des motifs troublants qui doivent inviter à une vigilance particulière. Les Juifs se retrouvent aujourd'hui pris en tenaille entre deux discours qu'a priori tout oppose. D'un côté l'extrême droite et sa haine traditionnelle de « l'étranger à la nation » que le Juif incarne.

Du « Juif, casse-toi, la France n'est pas à toi ! » crié en 2014 dans les rues de Paris au « Les Juifs ne nous remplaceront pas ! » hurlé à Charlottesville en 2017… il s'agit toujours de dénoncer un pouvoir et un contrôle juifs qui vulnérabilisent la suprématie blanche. L'extrême droite reproche au Juif de menacer l'ordre établi. L'extrême gauche lui reproche d'y appartenir ou de le servir. À discrimination égale, le Juif est perçu comme un peu moins victime, un peu plus privilégié ! Ainsi, se répandent des motifs antisémites traditionnels que ceux qui les énoncent refusent de reconnaître.

À titre d'exemples : Pourquoi dans le discours d'une partie de l'extrême gauche, les Juifs sont-ils immanquablement identifiés aujourd'hui au collectif des dominants ? Pourquoi sont-ils toujours perçus comme privilégiés, même dans une société où leur sécurité est compromise et où l'antisémitisme tue, comme en France ? Pourquoi sont-ils décrits comme favorisés, même quand leur situation économique et sociale est précaire ? Pourquoi la revendication d'une souveraineté territoriale, d'une autonomie politique ou culturelle, est-elle légitime quand elle émane de toute minorité ethnique sauf quand il s'agit des Juifs ? Pourquoi tant de groupes féministes ont-ils fait de la libération de la Palestine

« le cœur battant du nouveau féminisme[1] », l'épicentre de leur lutte ? Quand la célèbre égérie de la Marche des femmes, Linda Sarsour, déclare en 2017 qu'on « ne peut pas être à la fois féministe et sioniste », elle suggère que tout combat contre l'aliénation des femmes se doit d'être « antisioniste », et fait de la femme juive sioniste l'exception de son combat.

Elle répondrait sans doute qu'au nom de la « convergence des luttes », le féminisme soutiendra toujours et partout l'opprimé(e) contre l'oppresseur ! Certes. Mais l'incapacité à identifier et à reconnaître l'ensemble des oppressions à l'œuvre, ou des dominations exercées, est troublante et caricaturale. Ce néoféminisme entend-il se consolider dans l'abandon « exclusif » des femmes juives au profit de toutes les autres ? Et pourquoi donne-t-il pour seule définition au mot « sioniste », le nom d'une entreprise colonialiste ou ultra-nationaliste dans laquelle tant de femmes (dont l'auteur de ces lignes) ne se reconnaissent pas ?

Les identités et les définitions réduites à leurs caricatures ; la négation des individus au profit de catégories qu'ils incarnent ; tout cela produit un

---

1. Cette mention est inscrite dans la Plateforme américaine de la Marche internationale des Femmes, rédigée en mars 2017.

étrange cocktail : certains sont coupables pour ce qu'ils sont et d'autres innocents quoi qu'ils fassent.

La seule convergence des luttes qui vaille n'est-elle pas un combat simultané pour la protection des vulnérables, en tant qu'individus, la défense des opprimés et l'accès à la responsabilité de chacun ; pas simplement en tant que membre d'un clan ou d'un camp, mais en tant que sujet capable d'exercer un regard critique sur son histoire et sur sa tradition, pour engager une action politique sur le monde ?

Fondamentalisme, nationalisme, anticolonialisme… la tentation totalitaire n'est pas la prérogative d'un système unique. Cette tentation du *tout* touche tout le monde, même les Juifs ! Elle est d'ailleurs à l'œuvre dans certains replis communautaires ou passions ultra-nationalistes, quand se consolide le groupe contre un autre jugé infréquentable. Elle est aussi là, en puissance, dans certains discours se réclamant d'un sionisme qui tient l'identité juive de diaspora pour illégitime ou égarée, et qui considèrent qu'Israël est le *tout* de la réponse à la question juive, et sa résolution.

Face à cette illusion dangereuse, il revient aux autres Juifs de rappeler constamment la faille constitutive, celle qu'ils ont su incarner à travers l'Histoire et qui, seule, peut assurer non seulement un barrage contre le totalitarisme mais aussi garantir la persévérance juive.

Le vrai judaïsme n'est pas plus en Israël qu'en diaspora. Tout simplement parce qu'il n'est vrai que là où il ne s'imagine pas avoir *tout* dit de lui-même.

L'autre en soi

Être « authentiquement soi » : cette quête d'absolu se trouve déclinée aujourd'hui dans tant de discours publicitaires, politiques ou identitaires. Rhétoriques nationalistes, xénophobes, anticolonialistes, altermondialistes, sionistes ou propalestiniennes... aussi éloignés que soient les projets ou les idéaux des uns et des autres, s'y retrouve fréquemment l'idée qu'il faudrait se débarrasser de tout ce qui dans nos identités nous a contaminé ou perverti, les étrangetés ou les impuretés, les soumissions ou les dominations, et ainsi réparer l'Histoire, en redevenant soi-même ou en l'étant enfin.

Mais existe-t-il une pureté identitaire à reconquérir ? Amin Maalouf, dans *Les Identités meurtrières*, nous invite avec sagesse à en douter : « Ce qui fait que je suis moi-même et pas un autre, écrit-il, c'est que je suis ainsi à la lisière de deux pays, de deux ou trois langues, de plusieurs traditions culturelles. C'est précisément cela qui définit mon identité.

Serais-je plus authentique si je m'amputais d'une partie de moi-même ? (...) Dès lors qu'on conçoit son identité comme étant faite d'appartenances multiples (...) il n'y a plus simplement "nous" et "eux" – deux armées en ordre de bataille qui se préparent au prochain affrontement.»

Cette définition qu'un auteur franco-libanais, chrétien de culture arabe, donne de son identité pourrait parfaitement être celle que j'adopte pour raconter l'identité juive, cette étrange capacité historique (contrainte ou choisie...) qu'a eue le peuple juif d'habiter simultanément des mondes et des langues qui finirent par faire cohabiter en lui à la fois le même et l'autre, du « nous » et du « eux ».

Me reconnaître dans cette définition et la faire mienne relève-t-il de l'appropriation culturelle ? Si oui, je plaide coupable.

Ce dialogue entre du « nous » et du « eux » en soi, cette impureté constitutive ne revient pas à nier l'existence d'un peuple, mais bien au contraire à l'affirmer. Il s'agit précisément de reconnaître combien cette expérience de l'étrangeté structure son existence dans un mouvement constant entre ce qui lui est propre et ce que ce « propre » doit à l'autre. Ainsi se construit son authenticité.

Et c'est cette notion dont il nous faut maintenant dire quelque chose.

Sartre fait d'elle un des pivots de ses *Réflexions sur la question juive*, en tentant de distinguer le Juif authentique de l'inauthentique.

En définissant le Juif comme une sorte de produit du regard antisémite, Sartre reconnaît l'incidence que le regard d'un autre a eue sur la construction de l'identité juive dans l'Histoire. Pour utiliser les termes chers au camp décolonial aujourd'hui, Sartre dénonce la colonisation mentale qu'a exercée l'antisémite ou « le dominant » sur l'esprit de sa victime.

Le Juif inauthentique serait celui dont la judéité ne parviendrait pas à se défaire de ce regard extérieur.

Mais dès lors, en quoi consisterait une identité authentique pour une culture minoritaire, qu'elle soit juive, musulmane, LGBT ou autre ? Qui peut se dire réellement « pur » ou libéré du regard de l'autre ? Nombreux sont ceux qui le clament, en affirmant que leur communautarisme ou leur nationalisme les ont rendus plus autonomes, plus fiers ou moins « sous influence ». C'est sans doute vrai, en partie, surtout lorsqu'un groupe a connu dans son histoire la discrimination et l'atteinte à sa dignité. La philosophe Eva Illouz met toutefois en garde contre ceux qui font rimer authenticité et fierté. Un discours de fierté (décliné par tant de communautés aujourd'hui) tend souvent à affirmer que l'on possède une identité propre, authentiquement sienne, débarrassée des humiliations d'hier, lavée de toute influence. Mais cette revendication d'un soi imperméable est souvent l'image-miroir de la même obsession du regard de l'autre, une preuve en image destinée (en partie) à l'œil dominant dont on croyait s'être libéré, et qui ne constitue qu'un temps de la résilience. « La fierté est une importante ressource psychologique et une stratégie politique, mais elle ne peut être que temporaire, et ne doit pas devenir le seul étendard qu'un groupe brandit au monde pour se définir[1] », car alors cette fierté est aussi dépendante du regard de l'autre et inauthentique que la précédente. C'est une fierté qui dit à celui qui nous « colonisait » hier : « Tu vois que je ne suis pas celui ou celle que tu croyais. Tu vois que je ne te dois rien, tu le vois bien, hein ?! » et qui continue ainsi d'indexer son image sur la pensée de l'autre.

Qu'est-ce dès lors qu'être authentique, si ce n'est précisément reconnaître qu'on ne sait pas ce qui structure notre authenticité ? C'est dire :

1. Eva Illouz, article dans *Haaretz*, en avril 2018, « Under the Hater's Violent Gaze: A Portrait of Racism and anti-Semitism »

il existe en moi quelque chose qui n'est pas dépendant de ce que l'autre a fixé en moi, un résolument-moi, dont la définition m'échappe.

Je ne crois pas que mon judaïsme soit entièrement défini par ce que l'antisémitisme en a fait. Je ne crois pas être juive uniquement parce que d'autres l'ont dit de moi. Mais s'il me fallait dire ce qui constitue l'essence authentique de ma judéité, son irréductible spécificité, son noyau dur libre de toute contingence historique, je serais bien en peine de le définir. Et cet indicible est peut-être la meilleure définition que je puisse en donner, l'authentique et impossible énoncé de ce que c'est d'être juif, de ce que c'est d'être soi.

Interrogé sur la définition de l'être juif, Derrida répond : « Eh bien, je sais que je ne le sais pas, et je soupçonne tous ceux qui croient le savoir de ne pas le savoir (…) Qu'est-ce qui se passe, qu'est-ce qui m'arrive, de quel événement s'agit-il quand, répondant à l'appellation, je tiens à me présenter comme Juif, à dire et à me dire "je suis juif" ni authentique ni inauthentique ni quasi authentique[1] »… « si l'on pense savoir ce que c'est

1. Jacques Derrida, *Abraham, l'autre*, in *Judéités*, Galilée, 2003, p. 38.

qu'être juif (...) on peut être sûr qu'il n'y en aura plus : qu'il n'y en a jamais eu [1].»

Nous y sommes enfin. Voilà ce que l'antisémite attendait impatiemment en lisant peut-être ce livre jusqu'à sa dernière page. Comment venir à bout du Juif? La solution lui est enfin donnée sous la forme d'une bonne nouvelle : il existe bel et bien un moyen de le faire disparaître.

Il suffit de faire croire au Juif qu'il sait précisément à quoi sa judéité tient ! Et alors, il n'y en aura plus.

D'ici là, je crains qu'il ne doive faire avec.

---

1. Jacques Derrida, un témoignage donné dans *Questions au judaïsme*, *op. cit.*, 1996, p. 81.

TABLE

Cet ouvrage a été imprimé
par CPI Bussière
pour le compte des éditions Grasset
à Saint-Amand-Montrond (Cher)
en avril 2019

Mise en pages Maury-Imprimeur

Grasset s'engage pour
l'environnement en réduisant
l'empreinte carbone de ses livres.
Celle de cet exemplaire est de :
400 g éq. CO_2
Rendez-vous sur
www.grasset-durable.fr

N° d'édition : 20992 – N° d'impression : 2044248
Dépôt légal : décembre 2018
Nouveau tirage dépôt légal : avril 2019
Imprimé en France